Niveau

CIVILISATION

en dialogues

Odile Grand-Clément

CLE

INTERNATIONAL

www.cle-inter.com

Direction éditoriale : Michèle Grandmangin-Vainseine
Édition : Odile Tanoh-Benon
Maquette et mise en pages (intérieur et couverture) : Alinéa
Illustrations : Eugène Collilieux
Cartographie : Nathalie Cottrel-Bierling
Correction : Jean Pencréac'h
Enregistrements : Studio Bund

SOMMAIRE

BILANS

ANNEXES

La *Civilisation en dialogues Intermédiaire* s'adresse à un public d'adolescents et d'adultes ayant suivi de cent vingt à cent cinquante heures de cours.

Il propose un ensemble de dialogues simples, vivants et naturels qui, à travers des situations de la vie quotidienne, renvoient aux spécificités de la culture française et aux évolutions de la société française actuelle. L'objectif est de sensibiliser les apprenants au mode de vie à la française, aux valeurs et aux références partagées des Français, aux grands principes fondateurs de leur pays. En se confrontant aux différences ou aux similitudes avec sa propre culture, l'apprenant est amené à un travail d'observation et de réflexion sur les deux environnements culturels.

Les 24 leçons peuvent être utilisées de manière indépendante. Elles se composent chacune :

– d'un dialogue, centré sur un thème précis qui éveille la curiosité et suscite des interrogations. Ces dialogues sont enregistrés sur le CD inclus dans le livre ;

– d'« Informations » qui éclairent les différents points du thème traité en fournissant des données sociologiques ou historiques, des tableaux de statistiques, des résultats de sondages, des illustrations, autant de repères utiles propres à guider l'apprenant dans sa découverte du fonctionnement de la société française et des comportements des Français ;

– d'« activités » qui incitent l'apprenant à s'impliquer activement dans son apprentissage, stimulent son observation, son analyse et sa réflexion et l'aident à mémoriser les informations et à les réutiliser.

En fin d'ouvrage, huit bilans permettent de contrôler les connaissances acquises.
Des annexes donnent des illustrations ou des informations complémentaires pour certains chapitres.
Des corrigés, inclus dans le livre, permettent à l'apprenant d'être totalement autonome.

À LA TÉLÉVISION

La présentatrice – Chers téléspectateurs, bonsoir. Merci d'être chaque semaine fidèles au rendez-vous de notre magazine littéraire *Point-virgule*. Ce soir, nous parlerons d'histoire en compagnie de chercheurs, d'écrivains et d'historiens et j'aimerais tout d'abord vous présenter Serge Monot qui va nous parler de son livre *Résistances*. Serge Monot, bonsoir.

Serge Monot – Bonsoir.

La présentatrice – Vos travaux d'historien sont déjà très connus du grand public. Ils portent sur différentes périodes de l'histoire de France, comme par exemple l'occupation romaine ou encore le règne de Napoléon Ier. Cette fois, vous avez choisi la période de la Seconde Guerre mondiale. Pourquoi ?

Serge Monot – Eh bien, je pense que la Seconde Guerre mondiale reste un événement très important de notre histoire et encore très proche. Nos parents ont vécu cette guerre. Les jeunes entendent toujours leurs grands-parents raconter des épisodes de l'Occupation[1], du Débarquement[2]...

La présentatrice – Le titre de votre livre est *Résistances* avec un « s ».

Serge Monot – Oui, je ne veux pas parler seulement de LA Résistance, ce mouvement dans lequel des Français courageux se sont engagés, comme le grand héros Jean Moulin[3] par exemple. Je veux aussi parler de tous les types de résistances, de tous ceux qui se sont battus pour garder les valeurs de la France.

La présentatrice – ... et la première valeur à défendre était la liberté.

Serge Monot – Bien sûr ! Ils ont dit « non à la barbarie ! », « non à la défaite ! ». Vous savez, finalement, toute l'histoire de France nous montre que beaucoup de héros sont ceux qui ont résisté et qui ont su dire « non ».

La présentatrice – Ceci n'est pas seulement valable pour la France.

Serge Monot – Vous avez raison. Dans tous les pays, des hommes ont protesté contre l'injustice ou l'oppression. C'est universel.

---

1. *L'Occupation* : période pendant laquelle la France a été occupée par les Allemands (1940-1944).
2. *Le Débarquement* : le jour où les Alliés sont arrivés sur les plages de Normandie pour libérer la France (6 juin 1944).
3. *Jean Moulin* : ancien préfet chargé par de Gaulle d'unifier tous les mouvements de la Résistance, il crée le Conseil national de la Résistance. Le 21 juin 1943, il est arrêté par la Gestapo ; torturé, il meurt sans avoir parlé.

INFORMATIONS

➤ Quelques grands personnages de la nation

Vercingétorix

« Vercingétorix est mort pour avoir défendu son pays contre l'ennemi. Il a été vaincu ; mais il a combattu tant qu'il a pu. Tous les enfants de France doivent se souvenir de Vercingétorix et l'aimer. » (manuel scolaire de la fin du XIXe siècle) Les petits Français d'aujourd'hui connaissent mieux Astérix, le petit Gaulois malin de la bande dessinée du même nom, qui, comme son modèle, résiste aux Romains.

Jeanne d'Arc

Fille du peuple, elle entend des voix qui lui disent d'aller chasser les Anglais de son pays puis de rétablir le roi sur son trône. Sa mission accomplie, elle est faite prisonnière et meurt, brûlée vive, à Rouen en 1431, à l'âge de 19 ans. Après trois siècles d'oubli, cette icône du nationalisme français réapparaît au XIXe siècle, puis sous le gouvernement de Vichy[1].

Napoléon Bonaparte (1769-1821) ou Napoléon 1er

Un général révolutionnaire, devenu empereur. Son génie militaire et politique a fait la gloire de la France. Ses victoires en Italie et en Égypte, comme ses défaites en Russie et à Waterloo, marquent des grandes étapes de l'histoire de France. Il a laissé aussi son Code civil[2] qui règle toujours la vie des Français.

Charles de Gaulle (1890-1970)

Le 18 juin 1940, le général de Gaulle lance son appel de Londres pour demander aux Français de continuer le combat contre l'occupant nazi et le gouvernement de Vichy[1] qui collabore avec l'ennemi. C'est le début de la « Résistance », dont une des grandes figures est Jean Moulin. Le général de Gaulle a été président de la République de 1958 à 1969.

1. Gouvernement français sous l'Occupation (juin 1940 à août 1944).
2. Ensemble des règles qui déterminent le statut des personnes, celui des biens et celui des relations entre les personnes privées.

SIX DYNASTIES DE ROIS

Avant d'être une république, pendant plus de treize siècles la France a été une royauté. Parmi les rois, certains ont laissé des marques plus profondes que d'autres, non seulement dans l'Histoire, mais aussi dans l'imaginaire des Français.

Six dynasties se sont succédé.

Les Mérovingiens, avec Clovis, le premier roi des Francs (de 481 à 511) qui s'est fait baptiser à Reims.

Les Carolingiens, dont le plus imposant représentant est Charlemagne, le grand conquérant, sacré empereur en l'an 800.

Les Capétiens, dont le nom vient du roi Hugues Capet, puissant seigneur qui a su défendre son royaume contre les Germains et a régné de 987 à 996.

Les Valois avec François Iᵉʳ, le roi mécène, qui a joué un rôle déterminant dans la Renaissance (1515-1547).

Les Bourbons, avec le bon roi Henri IV (de 1587 à 1610): protestant, il s'est converti au catholicisme pour rétablir la paix religieuse. Puis le grand Louis XIV, le Roi-Soleil, incarnation de la monarchie absolue durant un règne qui a duré 72 ans (1643-1715) et qui a marqué l'apogée du prestige de la France. Et Louis XVI, guillotiné pendant la Révolution française.

Les Orléans, dont l'unique roi est Louis-Philippe Iᵉʳ: grâce au soutien de la bourgeoisie, il a été «roi des Français» de 1830 à 1848.

► **Quatre guerres qui ont meurtri, uni ou divisé le pays**

La Première Guerre mondiale (1914-1918), dite la « Grande Guerre »

Elle a dévasté l'Europe et fait 65 millions de victimes dont les monuments aux morts gardent le souvenir dans chaque ville ou village de France.

La Seconde Guerre mondiale (1939-1945)

Un conflit planétaire qui a opposé la France et ses alliés (la Grande-Bretagne, l'Union soviétique et les États-Unis) contre les forces de l'Axe (l'Allemagne nazie, l'Italie fasciste et le Japon).

La guerre d'Indochine

En 1887, la Cochinchine, l'Annam, le Tonkin, le Cambodge et le Laos constituaient «l'Union indochinoise», une colonie française. La guerre menée par l'opposition vietnamienne nationaliste a duré huit ans (1946-1954). Les accords de Genève ont reconnu l'indépendance du Laos et du Cambodge et le partage du Vietnam en deux États.

La guerre d'Algérie

Ce conflit a déchiré la France et son ancienne colonie entre 1954 et 1962 et reste, aujourd'hui encore, un sujet douloureux. À la fin de la guerre, un million de Français vivaient en Algérie – 80% d'entre eux y étaient nés. On les appelait «les pieds noirs». Après la proclamation de l'indépendance, ils ont dû s'installer en France.

LA LÉGION D'HONNEUR

C'est une décoration[3] qui a été créée par Napoléon en 1804 pour récompenser non seulement les militaires mais aussi les civils qui ont rendu de grands services à la nation. Aujourd'hui, c'est le président de la République qui la remet aux personnes méritantes.

3. Elle comprend trois grades (chevalier, officier, commandeur) et deux dignités (grand officier, grand'croix).

LE PANTHÉON

Ce monument parisien abrite le tombeau des Français qui se sont illustrés par leurs talents, leurs vertus et les services qu'ils ont rendus à la nation. En latin, *pantheum* signifiait un «temple consacré à tous les dieux»: les grands hommes qui ont fait l'histoire de la France reposent dans la crypte: Victor Hugo, Émile Zola, Voltaire, Jean-Jacques Rousseau, Jean Moulin, entre autres.

QUELQUES DÉFINITIONS

• **La patrie**: «Les hommes sentent dans leur cœur qu'ils sont un même peuple lorsqu'ils ont une communauté d'idées, d'intérêts, d'affections, de souvenirs, d'espérances. Voilà ce qui fait la patrie. Voilà pourquoi les hommes veulent marcher ensemble, ensemble travailler, ensemble combattre, vivre et mourir les uns pour les autres. La patrie, c'est ce qu'on aime.» (Fustel de Coulanges, historien, 1870)

• **Le patriotisme**: amour de la patrie. Désir, volonté de se dévouer, de se sacrifier pour la défendre.

• **Le nationalisme**: exaltation du sentiment national. Attachement passionné à la nation à laquelle on appartient, accompagné parfois de la haine des étrangers.

• **Le chauvinisme**[4]: patriotisme fanatique, admiration excessive, partiale et exclusive pour son pays.

4. Nicolas Chauvin était un soldat naïf et exalté de Napoléon, personnage réel ou fictif d'une pièce de théâtre (*La Cocarde tricolore*).

ÉCOUTEZ ET RÉPONDEZ

1 Soulignez les bonnes réponses

a. Qui parle ?
☐ Un scientifique. ☐ Un politicien. ☐ Un écrivain. ☐ Un présentateur de télévision.

b. Où sont-ils ?
☐ Dans un restaurant. ☐ Dans un studio de télévision. ☐ Dans la rue. ☐ Au cinéma.

c. Quel est le sujet de la conversation ?
☐ La Première Guerre mondiale. ☐ L'occupation romaine.
☐ La Seconde Guerre mondiale.

d. De quoi parlent-ils plus particulièrement ?
☐ Des militaires. ☐ Des victoires. ☐ De la Résistance. ☐ Des victimes.

2 Résumez en une phrase la conclusion de cette conversation

FAITES LE POINT

1 Observez

a. Lisez la définition de la patrie. Soulignez les mots qui vous semblent les plus importants.

b. Lisez les définitions du patriotisme, du nationalisme et du chauvinisme. Qu'est-ce qui distingue le nationalisme du patriotisme ? le chauvinisme du patriotisme ?

c. Regardez le monument du Panthéon. Que voyez-vous écrit sur la façade ?

2 Reliez : quels ennemis ont-ils combattus ?

a. Vercingétorix   1. les nazis
b. Jeanne d'Arc   2. les Russes
c. Napoléon Ier   3. les Anglais
d. Charles de Gaulle   4. les Romains

3 Vrai ou faux ?

	V	F
a. Astérix est un personnage historique qui a existé.	☐	☐
b. Charles de Gaulle a fait partie du gouvernement de Vichy.	☐	☐
c. On appelle la Première Guerre mondiale « la Grande Guerre ».	☐	☐
d. L'Algérie et l'Indochine étaient des colonies françaises.	☐	☐
e. Le Panthéon est un monument consacré aux grands hommes de la nation.	☐	☐

4 Répondez

a. Qui a institué le Code civil ?

b. Qui peut recevoir la Légion d'honneur ?

c. Comment est morte Jeanne d'Arc ?

d. Qui étaient les alliés de la France pendant la Seconde Guerre mondiale ?

e. Comment appelle-t-on les Français nés en Algérie ?

5 Donnez votre avis

a. Êtes-vous d'accord avec la définition de la patrie ?

b. Quels sont les grands hommes de votre pays ?

c. Quelle est pour vous la définition d'un héros ?

UN CAFÉ PAS COMME LES AUTRES

Deux étudiants discutent à la cafétéria.

Julien – Je vais te raconter un truc incroyable. L'autre jour, j'étais dans la rue de Rivoli. J'étais avec ma copine, on faisait les courses dans les magasins. Je déteste ça, mais je l'accompagne de temps en temps pour lui faire plaisir.

Bref, au bout d'un moment, je n'en pouvais plus. J'ai dit « Stop ». On rentre dans un bistrot, on commande un café au comptoir et qu'est-ce que je vois quand je lève les yeux ? Des photos de reines, de rois, de princesses, partout sur les murs ! Des fleurs de lys[1], des articles encadrés sur les descendants du duc d'Orléans. Incroyable. Un café royaliste ! Je ne savais pas que ça existait.

Simon – Ben, si ! Il y a toujours des royalistes en France. Ils pensent que le comte de Paris, qui est le descendant du duc d'Orléans, frère de Louis XIV, devrait être roi de France.

Julien – Mais ils ne savent pas qu'on a fait la révolution, que tout ça c'est du passé ? qu'on est en république, et même pour être plus précis, la Ve République ? avec un président élu pour cinq ans et un parlement ?

Simon – Si, calme-toi, ils le savent mais ils ont toujours la conviction que le pouvoir légitime est le pouvoir royal. Oh ! moi, ça ne me choque pas. Quand tu regardes bien, il y a beaucoup de royautés en Europe : l'Angleterre, les Pays-Bas, le Danemark, l'Espagne…

Julien – Mais attends, c'est pas la reine ou le roi qui gouverne, mais le Premier ministre, et le Parlement a son rôle à jouer… heureusement !

Simon – Évidemment ! C'est sûr qu'on ne peut pas comparer un roi ou une reine avec le président de la République, ce n'est pas le même boulot[2]. Mais il y a toujours des risques que le président de la République se prenne pour un roi…

---

1. La fleur de lys est un symbole de la royauté.
2. (Familier) travail.

INFORMATIONS

Le Palais de l'Élysée, résidence officielle du président de la République, est situé 55 rue du Faubourg-Saint-Honoré à Paris.

RAPPELS CHRONOLOGIQUES

Ire République			IIe République (président élu pour 4 ans)		IIIe République		IVe République (instabilité ministérielle)	Ve République (président élu pour 7 ans[1])
↑			↑		↑		↑	↑
1789	1792 → 1804		**1814**	1848 → 1852		1870 → 1940	1946 → 1958 → ...	
↓	↓	↓		↓	↓	↓		
Prise de la Bastille	Premier Empire	Restauration de la royauté		Second Empire	Guerre contre la Prusse	Occupation allemande		

1. Depuis 2000, la durée du mandat présidentiel est passée de sept ans (septennat) à cinq ans (quinquennat).

QUELQUES DATES IMPORTANTES

1905 : séparation de l'Église et de l'État
1936 : la semaine de 40 heures
1944 : le vote des femmes
1945 : la création de la Sécurité sociale
1946 : gratuité de l'enseignement
1950 : la création du SMIG (salaire interpro-fessionnel garanti)[2]

2. Il sera remplacé en 1980 par le SMIC (salaire minimum de croissance).

► **La démocratie française**

La France a actuellement un régime parlementaire et présidentiel :
– le Parlement exerce le pouvoir législatif ;
– le président et le Premier ministre partagent le pouvoir exécutif.
Le régime est parlementaire car les députés peuvent renverser le gouvernement.
Le régime est présidentiel car le président peut dissoudre l'Assemblée mais lui-même ne peut pas être renversé.

L'hôtel Matignon, résidence officielle du Premier ministre, est situé 57 rue de Varenne à Paris.

► Le président de la République, chef de l'État

Les Français élisent directement leur président au «suffrage universel direct» pour cinq ans[3].
En 2007, douze candidats se sont présentés aux élections présidentielles :
– 88,97 % des Français ont voté ;
– aucun candidat n'a obtenu la majorité au premier tour. Les deux candidats ayant obtenu le pourcentage le plus élevé de voix étaient Ségolène Royal (PS[4]) et Nicolas Sarkozy (UMP[5]) ;
– au second tour, Nicolas Sarkozy a obtenu 53,06 % des voix et Ségolène Royal, 46,94 %.
Nicolas Sarkozy a donc été élu. Il est le sixième président français de la Ve République.

3. Depuis 2000.
4. Parti socialiste, parti de gauche.
5. Union pour un mouvement populaire, parti de droite.

Les pouvoirs du président
– Il nomme le Premier ministre et, sur les propositions de ce dernier, nomme les autres ministres. Il préside le conseil des ministres.
– Il est le chef des armées.
– Il veille au respect de la Constitution.
– Il doit maintenir l'indépendance de la nation. Il nomme les ambassadeurs à l'étranger.
– Il doit préserver l'indépendance de la justice. Il a le droit de grâce[6].
– Il peut dissoudre l'Assemblée nationale.
– Il peut consulter les électeurs par référendum.
– Il peut prendre les pleins pouvoirs (exécutifs et législatifs) si le territoire est menacé ou envahi.

6. Annuler ou changer la peine d'un condamné.

► Le Premier ministre
Aussitôt élu, le président choisit son Premier ministre.
Sous la Ve République, les présidents ont toujours tenu compte de la majorité de l'Assemblée nationale pour choisir leur Premier ministre, même s'il n'était pas du même parti que lui. Ainsi, un président de gauche choisit un Premier ministre de droite ou le contraire : c'est ce qu'on appelle «la cohabitation». En 1986, le président François Mitterrand, socialiste, a «cohabité» avec son Premier ministre Jacques Chirac, de droite. Puis le président Jacques Chirac, de droite, a cohabité avec son Premier ministre Lionel Jospin, de gauche.

Les pouvoirs du Premier ministre
On peut en citer quelques-uns.
– Il propose la liste des ministres au président de la République.
– Il dirige l'action du gouvernement.
– Il est responsable de la Défense nationale.
– Il peut, au nom du gouvernement, soumettre au Parlement des projets de loi.
– Il assure l'exécution des lois.

On désigne souvent les ministères par le lieu où ils sont situés.

ÉCOUTEZ ET RÉPONDEZ

    a. Où est allé Julien ?

    b. Qu'est-ce qu'il a vu ?

    c. Qui est le comte de Paris ?

    d. Est-ce que les deux amis ont la même attitude ?

FAITES LE POINT

1 Observez

    a. Regardez les rappels chronologiques, puis complétez le tableau ci-dessous :

	Époque	Faits importants
1. Iʳᵉ République	1792-18 ___	Trois ans _____ la prise de la Bastille.
2. IIᵉ République	1848-18 ___	Le président est élu pour _____ au suffrage _____ .
3. IIIᵉ République	1870-19 ___	Progrès _____ : enseignement _____ , semaine de _____ .
4. IVᵉ République	1946-19 ___	Instabilité _____ . Vote des _____ .
5. Vᵉ République	_____	Durée du mandat présidentiel : _____ ans.

    b. Regardez le dessin humoristique : de quel ministère parle le journaliste ?

2 Répondez aux questions

    a. Qui a été élu président de la République française en 2007 ?

    b. Comment est-ce qu'il a été élu et pour combien de temps ?

    c. Est-ce que, pour une élection présidentielle, il y a un tour ou deux tours en général ? Pourquoi ?

    d. Comment est-ce qu'on appelle la situation dans laquelle se trouve un président de droite qui a un Premier ministre de gauche ?

3 Reliez : parmi toutes ces fonctions, quelles sont celles du président de la République et celles du Premier ministre ?

    a. Il dirige l'action du gouvernement.

    b. Il préside le conseil des ministres.

    c. Il est le chef des armées.   **1.** Le président

    d. Il veille au respect de la constitution.

    e. Il est responsable de la Défense nationale.

    f. Il peut dissoudre l'Assemblée nationale.   **2.** Le Premier ministre

    g. Il peut soumettre des projets de loi au Parlement.

    h. Il assure l'exécution des lois.

4 Donnez votre avis

    a. Est-ce que vous trouvez que le pourcentage de participation aux dernières élections présidentielles est élevé ?

    b. Que pensez-vous de la cohabitation ?

EN DIRECT DE L'ASSEMBLÉE NATIONALE

À la radio.

La présentatrice – Dans quelques minutes, Xavier Pardon va nous présenter le journal de 20 heures.

Xavier Pardon – Bonsoir. Au terme d'un mois de débats, l'Assemblée nationale a définitivement adopté le projet de loi sur l'immigration ce mardi 23 octobre. Nous avons notre correspondant François Ducrot en direct de l'Assemblée nationale… François, vous m'entendez ?

François Ducrot – Oui, Xavier, bonsoir. Les députés viennent d'adopter le projet de loi sur la maîtrise de l'immigration, qui réglemente l'entrée des étrangers sur le territoire national. Le texte devrait être également voté en fin d'après-midi au Sénat, ce qui finalisera l'adoption du projet par le Parlement.

Xavier Pardon – C'est la fin d'un long parcours législatif…

François Ducrot – Tout à fait ! Le projet a été vivement discuté et contesté. Je pense en particulier à l'amendement[1] du député Thierry Mariani sur les tests ADN pour certains demandeurs de visa de long séjour. Je vous rappelle que cet amendement prévoit la possibilité de demander un test ADN pour prouver la filiation d'un enfant en cas de doute sérieux sur l'authenticité des documents d'état civil.

Xavier Pardon – Pouvez-vous résumer pour nos auditeurs les points les plus importants de cette loi sur l'immigration ?

François Ducrot – Eh bien, à partir de maintenant, un étranger en situation régulière qui veut faire venir ses enfants en France devra prouver qu'il a les ressources financières suffisantes pour faire vivre sa famille. De plus, les membres de la famille qui veulent venir en France doivent passer un test de quinze minutes, dans leur pays d'origine, pour vérifier qu'ils ont quelques connaissances de la langue française et des valeurs de la République.

Xavier Pardon – C'est donc maintenant au Sénat d'approuver cette loi en dernière lecture ?

François Ducrot – Tout à fait.

Xavier Pardon – Eh bien, merci, François Ducrot. Nous aurons l'occasion de reparler de cette loi dans les semaines à venir…

---

1. *Un amendement :* une modification.

INFORMATIONS

➤ Le rôle du Parlement

C'est au Palais-Bourbon que siège l'Assemblée nationale.

Le palais du Luxembourg est le siège du Sénat.

Le Parlement, qui représente le peuple, est composé de deux chambres : l'Assemblée nationale, élue directement par les citoyens, et le Sénat, élu au suffrage indirect.
Le Parlement a deux fonctions :
– voter les lois ;
– contrôler l'action du gouvernement.

L'Assemblée nationale

Composée de 577 députés
élus au suffrage **direct** pour 5 ans
par les citoyens français.

L'Assemblée nationale
peut être dissoute par
le président de la République.

Elle peut renverser le gouvernement[1].

Le Sénat

Composée de 331 sénateurs (en 2007)
élus au suffrage **indirect** pour 9 ans
par les « grands électeurs » (conseillers
municipaux, conseillers généraux et députés).

Le Sénat est renouvelé par un tiers (1/3)
tous les 3 ans.

Le Sénat ne peut pas être dissous et
ne peut pas renverser le gouvernement.

---

1. L'Assemblée peut mettre en cause la responsabilité du gouvernement et le renverser. Pour cela, au moins
un dixième des députés doivent déposer une « motion de censure ». Après quarante-huit heures de réflexion,
si la motion de censure est acceptée par la majorité des membres de l'Assemblée nationale, le Premier ministre doit remettre au président de la République la démission de son gouvernement.

COMPOSITION DE L'ASSEMBLEE NATIONALE en 2007 (nombre de sièges)

Communistes	15	Divers	1
Divers gauche	15	UDF – Mouvement Démocrate	3
Socialistes	186	Majorité présidentielle	22
Radicaux de gauche	7	Union pour un Mouvement Populaire	313
Les Verts	4	Divers droite	9
Régionalistes	1	Mouvement pour la France	1
Écologistes	0	Front national	0

Source : site officiel du ministère de l'Intérieur (www.interieur.gouv.fr).

► Comment est votée une loi

L'initiative d'une loi peut venir :
– soit du Premier ministre, au nom du gouvernement, c'est alors un « projet de loi » ;
– soit d'un sénateur ou d'un député, c'est alors une « proposition de loi ».

Premier cas

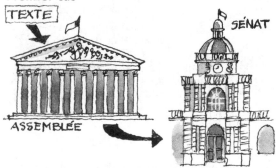

L'Assemblée nationale adopte le texte en première lecture. Le Sénat examine le texte et l'adopte. La loi est votée.

Deuxième cas

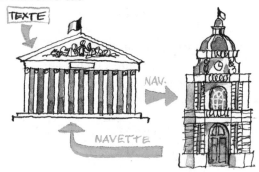

L'Assemblée nationale examine le texte. Le Sénat modifie le texte. Le texte retourne à l'Assemblée nationale qui examine de nouveau le texte puis le renvoie au Sénat. Si, après deux lectures dans chaque assemblée, le texte est adopté sans modification, la loi est votée. Les modifications sont appelées des « amendements ».

Troisième cas

Après deux lectures dans chaque assemblée, il n'est pas possible de trouver un accord. Le Premier ministre demande la réunion d'une « commission paritaire » formée de sept députés et sept sénateurs. Cette commission élabore un nouveau texte qui est présenté aux deux assemblées. Si elles acceptent ce texte, la loi est adoptée. Si elles ne l'acceptent pas, le Premier ministre demande aux députés de prendre la décision finale.

► Le Conseil constitutionnel : un organe de contrôle

Composé de neuf membres nommés pour neuf ans par le président de la République et les présidents de l'Assemblée nationale et du Sénat. On les appelle « les neuf sages ». En plus de ces neuf membres, les anciens présidents de la République sont membres à vie du Conseil constitutionnel. Ce Conseil est chargé de veiller au respect de la Constitution, à l'équilibre entre le pouvoir législatif et le pouvoir exécutif, à la régularité des élections.

ÉCOUTEZ ET RÉPONDEZ

a. Qui parle ?

b. De quoi parlent-ils ?

c. Qu'est-ce qui s'est passé ?

d. Qu'est-ce qui va se passer ?

e. Quelles sont les décisions prises concernant les étrangers ?

FAITES LE POINT

1 Observez

a. Regardez le graphique sur la composition de l'Assemblée nationale. Quel parti a eu la majorité en 2007 ? Quel parti a obtenu le plus petit nombre de députés ?

b. Regardez le document «Comment est votée une loi». Combien de fois est-ce qu'un projet de loi peut être examiné à l'Assemblée nationale ? et au Sénat ?

c. Qui peut proposer une loi ?

d. Qui a le dernier mot en cas de désaccord : les députés ou les sénateurs ?

e. Comment s'appellent les modifications qui peuvent être apportées à un projet de loi ?

2 Barrez ce qui est faux

a. Les députés sont élus au suffrage direct/au suffrage indirect.

b. Les sénateurs sont élus au suffrage direct/au suffrage indirect.

c. Les députés sont élus pour 5 ans/pour 9 ans.

d. Les sénateurs sont élus pour 5 ans/pour 9 ans.

e. L'Assemblée nationale peut être dissoute/ne peut pas être dissoute par le président de la République.

f. Le Sénat peut être dissous/ne peut pas être dissous par le président de la République.

g. Le Conseil constitutionnel, organe de contrôle, est composé de 7 membres/9 membres.

3 Complétez le résumé avec les mots ci-dessous

le Sénat – lectures – l'Assemblée nationale – amendements – commission paritaire – députés

Un projet de loi est examiné d'abord par _____. S'il est accepté par la

majorité des _____, il est ensuite examiné par _____.

Après deux _____ dans chaque assemblée, le projet de loi peut être accepté

ou subir des modifications qu'on appelle des _____. Si on ne peut pas

arriver à un accord, une _____ élabore un nouveau texte qui est présen-

té aux deux assemblées.

4 Donnez votre avis

a. Est-ce qu'il y a un Parlement dans votre pays ? Est-ce qu'il est très différent du Parlement français ?

b. Est-ce que vous trouvez le système parlementaire français compliqué ? simple ? très démocratique ?

JOUR DE VOTE

Une mère de famille à la maison. Son fils entre.

Damien – Salut maman !

La mère – Damien, déjà levé ! à cette heure !

Damien – Oui, je suis allé voter.

La mère – Vraiment ? déjà ? à 9 heures du matin ?

Damien – Oui, et j'étais même le premier à entrer dans le bureau de vote.

La mère – Toi alors, tu m'étonneras toujours ! On peut dire que tu es motivé !

Damien – Oui, c'est bête, je sais pas si c'est le fait d'avoir dix-huit ans, mais maintenant, je me sens concerné et je me rends compte que la politique, c'est important. Si on ne vote pas, on laisse les autres décider pour nous.

La mère – Bravo, mon fils.

Damien – Tu sais que dans d'autres pays, le vote est obligatoire. Les gens doivent payer une amende s'ils ne vont pas voter.

La mère – Oui, je trouve ça un peu exagéré. Je préfère qu'on laisse les gens libres.

Damien – Moi aussi.

La mère – Mais tu ne vas pas t'inscrire dans un parti politique et devenir un militant ?

Damien – Non, pas pour l'instant. Je ne me sens pas encore sûr. Je voudrais mieux m'informer avant.

La mère – Tu as raison, prends ton temps.

Damien – Et toi, tu ne vas pas voter aujourd'hui ?

La mère – Bien sûr que si, c'est important, surtout pour la présidentielle… mais j'irai tranquillement cet après-midi. Au fait, pour qui est-ce que tu as voté ?

Damien – Ah ! ah ! Le vote est secret, je ne te le dirai pas.

La mère – Petit malin, je le sais !

INFORMATIONS

► Les partis politiques

Chacun est libre de devenir membre ou non d'un parti politique et chaque électeur est libre de voter pour élire le candidat de son choix. On appelle « partis de la majorité » les groupements politiques qui ont obtenu la majorité de députés à l'Assemblée nationale. Les autres sont « les partis de l'opposition ».

L'origine des termes « gauche » et « droite » date de la Révolution française, quand les partisans de la monarchie se sont groupés à la droite du président de l'Assemblée constituante. Ce parti « de droite » était donc le parti des conservateurs, de la tradition. Aujourd'hui, la droite est qualifiée de « libérale », favorable à une économie de marché et à moins d'intervention de l'État dans la vie des citoyens. La gauche insiste plus sur la nécessité d'une forte politique sociale.

► Les élections

En France, voter est un droit et un devoir civique mais non une obligation, comme dans certains pays.

Les femmes françaises ont obtenu le droit de vote seulement en 1945.

Pour voter, il faut être majeur, c'est-à-dire avoir 18 ans ou plus, être français ou naturalisé français[1], ne pas être privé de ses droits civiques et être inscrit sur une liste électorale. Pour s'inscrire sur cette liste, il faut aller à la mairie.

Si on ne peut pas être présent le jour du vote, pour des raisons de santé, de voyage ou autres, on peut « donner sa procuration » à une autre personne qui, après les démarches nécessaires, votera pour vous.

1. Seule exception : pour les élections municipales, les citoyens d'un pays membre de la Communauté européenne résidant en France peuvent voter.

Dans une élection, si aucun candidat n'obtient la majorité des votes, on dit qu'il y a « ballottage » : il faut alors organiser « un deuxième tour ». Cette situation est fréquente, en particulier pour l'élection présidentielle où de nombreux candidats se présentent au premier tour, mais seulement deux restent au deuxième tour, deux semaines plus tard.

L'électeur prend un bulletin de chaque candidat et une enveloppe, va dans l'isoloir, met un bulletin dans l'enveloppe[2], ressort de l'isoloir et va mettre son enveloppe dans l'urne. Il signe le registre qui atteste qu'il a bien voté.

2. S'il ne met aucun bulletin de vote dans l'enveloppe ou s'il en met plusieurs ou bien s'il écrit sur le bulletin, son vote sera « nul » et non comptabilisé dans le résultat final.

LES PRINCIPAUX PARTIS POLITIQUES EN 2007

Partis d'extrême gauche		Partis de gauche			Partis du centre	Partis de droite		Parti d'extrême droite
LO	LCR	PC	PRG	PS	MoDem	UMP	MPF	FN
Lutte ouvrière	Ligue communiste révolutionnaire	Parti communiste	Parti radical de gauche	Parti socialiste	Mouvement démocrate	Union pour un mouvement populaire	Mouvement pour la France	Front national

LES PRINCIPALES ÉLECTIONS AU SUFFRAGE UNIVERSEL DIRECT[3]

L'élection présidentielle	Les élections législatives	Les élections municipales	Les élections régionales	Les élections européennes	Les élections professionnelles
pour élire le président	pour élire les députés	pour élire la liste des conseillers municipaux	pour élire les conseillers régionaux	pour élire les députés au Parlement européen	pour élire les délégués du personnel et les représentants au comité d'entreprise[4]
tous les 5 ans	tous les 5 ans	tous les 6 ans	tous les 5 ans	tous les 5 ans	chaque année

3. C'est-à-dire quand les électeurs sont les citoyens qui élisent directement leurs représentants. Les autres élections (par exemple, les élections sénatoriales) sont au suffrage indirect, c'est-à-dire que les électeurs sont des élus (les «grands électeurs»).
4. Les électeurs sont les salariés ayant une activité professionnelle dans une grande ou moyenne entreprise. Ces élections sont organisées au sein des entreprises concernées.

► Qu'est-ce que la parité hommes-femmes ?

La loi du 6 juin 2000 impose un nombre égal de candidats hommes et de candidats femmes pour toutes les élections où on doit choisir **une liste** de candidats – et non un(e) seul(e) candidat(e) : par exemple, aux élections municipales, régionales, européennes ou sénatoriales. Quand la parité n'est pas respectée, les partis paient une amende.

LE VOTE DES ÉTRANGERS

Question : *Personnellement, seriez-vous très favorable, assez favorable, assez opposé ou très opposé à l'extension du droit de vote pour les élections municipales et européennes aux résidents étrangers non membres de l'Union européenne vivant dans votre pays ?*

	France (%)	Royaume-Uni (%)	Espagne (%)	Italie (%)	Allemagne (%)
Favorables	45	47	63	54	34
Opposés	53	46	21	33	61
Ne se prononcent pas	2	7	16	13	5
TOTAL	100	100	100	100	100

Source : sondage CSA/*La Lettre de la citoyenneté*, 16-25 avril 2004.

ÉCOUTEZ ET RÉPONDEZ

    a. Qu'est-ce que Damien vient de faire?

    b. Quel âge a-t-il?

    c. Qu'est-ce qu'il pense de la politique?

    d. Qu'est-ce que sa mère et lui pensent du vote obligatoire?

    e. Est-ce qu'il milite dans un parti politique?

    f. Quand est-ce que sa mère va voter?

FAITES LE POINT

1 Observez

    a. Regardez la liste des partis politiques en France: est-ce que vous aviez déjà entendu parler de certains? Lesquels?

    b. Regardez un bureau de vote. Comment s'appelle l'endroit où l'électeur met le bulletin dans l'enveloppe? et la boîte dans laquelle il met son enveloppe?

    c. Regardez la liste des différentes élections. Que remarquez-vous en ce qui concerne la fréquence de l'élection (et, par conséquent, la durée des mandats)?

    d. Regardez le sondage sur le droit de vote pour les étrangers: est-ce que les Français y sont favorables? Comparez leur position avec celle de deux autres pays européens.

2 Répondez par « oui » ou « non »

	OUI	NON
a. Est-ce que voter est une obligation en France?	☐	☐
b. Est-ce qu'on peut demander à une autre personne de voter pour soi?	☐	☐
c. Est-ce que, dans certaines élections, on peut voter si on n'est pas français?	☐	☐
d. Est-ce que les partis de droite sont en faveur d'une forte intervention de l'État dans l'économie?	☐	☐
e. Est-ce qu'on élit les conseillers municipaux au suffrage direct?	☐	☐

3 Complétez

    a. Les groupements politiques qui ont obtenu la majorité de députés à l'Assemblée nationale sont les partis de la _____.

    b. En France les _____ ont obtenu le droit de vote en 1945.

    c. Il y a ballottage quand aucun candidat n'obtient la _____ des votes.

    d. La loi de la _____ oblige les partis à présenter sur leur liste un nombre égal d'hommes et de femmes.

4 Donnez votre avis

    a. Est-ce que vous avez déjà voté? Si oui, à quelle occasion?

    b. Est-ce que dans votre pays, il y a aussi des partis de droite, du centre et de gauche?

    c. Est-ce que vous êtes favorables au vote des étrangers qui résident de manière permanente dans un pays? Pourquoi?

    d. Est-ce qu'il y a (un peu/beaucoup) plus d'hommes que de femmes qui font de la politique dans votre pays?

    e. Est-ce que la loi de la parité en France vous semble juste? Pourquoi?

AU BUREAU D'AIDE SOCIALE DE LA MAIRIE

Le fonctionnaire – Bonjour madame.

La femme – Bonjour monsieur.

Le fonctionnaire – Qu'est-ce que je peux faire pour vous ?

La femme – Eh bien, voilà. Je viens vous voir pour ma mère qui a 84 ans. Elle habite seule à Nantes. Elle est en assez bonne santé pour son âge. Elle fait ses courses, sa cuisine toute seule. Elle a toujours été très indépendante. Mais quand je suis allée la voir la dernière fois, j'ai remarqué qu'elle se fatiguait beaucoup plus vite qu'avant et qu'elle faisait de moins en moins le ménage dans son appartement. Elle a moins d'énergie. Alors, je pense qu'il lui faut une aide, une femme de ménage… enfin, quelqu'un pour nettoyer la maison et même faire quelques courses pour elle. Est-ce qu'elle a droit à une aide sociale ?

Le fonctionnaire – Probablement. Mais ça dépend évidemment de ses revenus.

La femme – Oh, vous savez, elle touche une toute petite retraite. Je ne sais pas exactement combien mais c'est très peu. Heureusement, elle est propriétaire de son logement et donc, elle n'a pas de loyer à payer.

Le fonctionnaire – Je vois. Écoutez, vous allez faire une demande auprès de la mairie de son domicile. Il faut remplir cet imprimé et joindre quelques documents. Je pense qu'elle pourra avoir une aide ménagère.

La femme – Très bien. J'ai aussi entendu parler de l'APA. C'est l'allocation personnalisée d'autonomie, c'est ça ?

Le fonctionnaire – Oui, tout à fait. C'est une allocation du conseil général. C'est pour aider les personnes âgées à rester chez elles. Vous pouvez faire une demande au président du conseil général. Votre mère habite à Nantes ?

La femme – Oui, oui.

Le fonctionnaire – Eh bien, vous écrivez aux services du département de Loire-Atlantique. Attendez, je cherche l'adresse… voilà !

La femme – Merci beaucoup, monsieur.

Le fonctionnaire – Je vous en prie.

INFORMATIONS

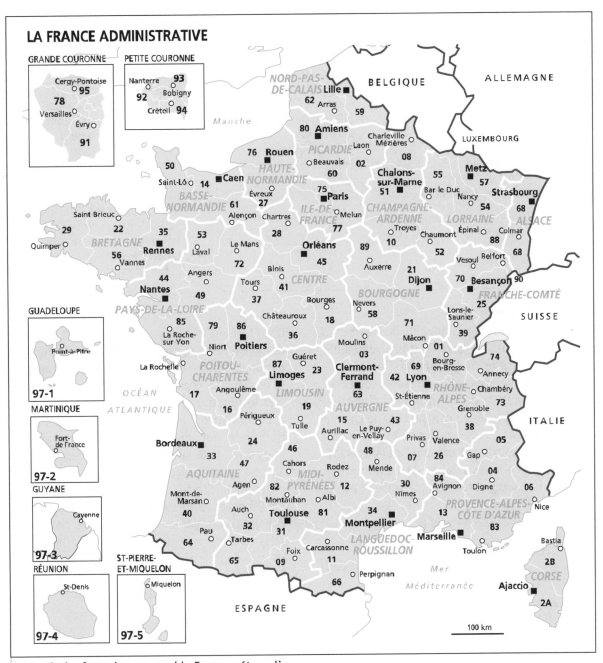

LA FRANCE ADMINISTRATIVE

Le territoire français comprend la France métropolitaine (le continent et la Corse), et les départements[1], les régions, les pays et les collectivités d'outre-mer (les DROM-POM et COM). La France a vingt-deux régions. Chaque région est divisée en départements. Il y a 96 départements en France métropolitaine et quatre départements d'outre-mer. Les départements sont numérotés par ordre alphabétique (sauf les départements de l'Île-de-France, plus récents).

La commune est l'unité de base de la division territoriale : c'est une ville ou un village.

1. Voir liste des départements page 116.

► L'administration territoriale

Elle doit agir pour régler les problèmes spécifiques à chaque région et connaître les besoins des citoyens. Elle est assurée par :
– les services des différents ministères, qui sont dirigés par le préfet[2], représentant de l'État ;
– les services des collectivités locales (régions, départements, communes).

2. Pour chaque région et chaque département, un préfet est nommé par le gouvernement.

LES SERVICES DES COLLECTIVITÉS LOCALES

LA RÉGION	LE DÉPARTEMENT	LA COMMUNE
↓	↓	↓
Le conseil régional	**Le conseil général**	**Le conseil municipal**
↓	↓	↓
• Action économique (par exemple, aide aux entreprises) • Aménagement du territoire (routes, transports, environnement...) • Formation (fonctionnement des lycées, formation professionnelle...) • Autres domaines : culture, recherche, tourisme, etc.	• Aide sociale et santé • Équipements collectifs et gestion du patrimoine départemental • Actions éducatives (collèges, transports...) • Soutien aux communes défavorisées • Développement économique	• Organisation de services gratuits publics (entretien des routes, des écoles, aide sociale, police...) • La création de services publics payants (stationnement, cantines, piscines, bibliothèques...) • Aménagement du domaine public (par exemple, zones industrielles) • Gestion du domaine privé de la commune (par exemple, bâtiments communaux) • Développement économique • Création d'événements (concerts, foires, expositions...)

► Les fonctionnaires

Leur employeur est l'État, donc ils font partie du secteur public. Ils ne travaillent pas seulement dans les ministères ou les administrations ; ils peuvent être, par exemple, professeurs (de l'Éducation nationale), médecins (d'un hôpital public), postiers (de La Poste) ou conducteurs de chemin de fer (de la SNCF[3]). Les fonctionnaires sont recrutés sur concours. Ils ont une plus grande sécurité de l'emploi que les salariés du secteur privé. Leur salaires progressent régulièrement par le système de l'ancienneté.

3. Société nationale des chemins de fer.

LE SECTEUR PUBLIC EN 2005

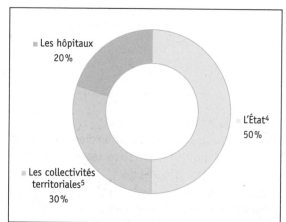

■ Les hôpitaux 20 %

L'État[4] 50 %

■ Les collectivités territoriales[5] 30 %

Source : Entretien du 19 janvier 2005 sur Europe 1 avec le ministre de la Fonction publique.

4. Ministères, justice, police, éducation, santé, culture, recherche, etc.
5. Régions, départements, communes.

► Le secteur public en pleine évolution

Une étude réalisée en mai 2006[6] montrait que 59 % des fonctionnaires, bien qu'ils restent attachés à la notion de service public et aux valeurs de solidarité et d'égalité, pensaient qu'il était urgent de réformer le fonctionnement de l'État et du secteur public. Pourquoi ? Pour améliorer leur propre situation professionnelle en rendant leur travail plus intéressant, pour mieux répondre aux demandes des usagers[7], pour s'adapter aux évolutions technologiques et améliorer les performances de l'économie française. Ces réformes, selon le nouveau président, doivent passer par une diminution du nombre de salariés du service public : la France a beaucoup (trop ?) de fonctionnaires (presque 5 millions en 2005). Mais ces réformes, qui semblent de plus en plus acceptées par la population, sont difficiles à mettre en place : les mentalités sont lentes à changer et il n'est pas facile de renoncer aux « acquis sociaux »[8]. Le secteur public a pourtant déjà évolué : il s'est modernisé avec l'apparition de « l'administration en ligne ». Beaucoup de sites permettent de trouver les informations et les documents qu'on cherche sans se déplacer, notamment dans le domaine de l'emploi, la santé, l'éducation et les services sociaux. Les démarches administratives sont ainsi simplifiées et tout le monde gagne du temps.

6. TNS-Sofres pour Performance consulting, mai 2006.
7. Dans ce contexte, les « usagers » sont les personnes qui utilisent les services publics.
8. Les avantages sociaux tels que des primes de fin d'année, des régimes spéciaux de retraite, etc.

ÉCOUTEZ ET RÉPONDEZ

a. Quel est le problème de cette dame ?

b. Qu'est-ce qu'elle veut obtenir ?

c. À quelles administrations est-ce que cette dame doit s'adresser ?

d. Où est-ce que sa mère habite ?

e. Est-ce que la dame obtient des réponses à ses questions ?

FAITES LE POINT

① Observez

a. Regardez la carte de France. Quelles sont les régions qui ont le plus grand nombre de départements ? Le moins grand nombre ?

b. Quelles régions portent le nom d'un fleuve ?

c. Dans quelle région se trouve Paris ?

d. Regardez le graphique sur le secteur public. Est-ce que le secteur hospitalier occupe une place très importante ? Qui occupe la place la plus importante du secteur public ?

② Cherchez l'intrus : dans chaque série, barrez le mot qui ne va pas avec les autres

a. Bourgogne – Centre – Midi-Pyrénées – Lyon

b. région – quartier – département – commune

c. 01 – 72 – 103 – 75

d. Languedoc – Guadeloupe – Martinique – Guyane

③ Complétez

a. La France comprend au total 100 _____.

b. Il y a _____ régions en France.

c. C'est le conseil _____ qui prend des décisions au niveau du département.

d. Un fonctionnaire est employé par _____.

e. Pour être fonctionnaire il faut passer un _____.

f. L'administration française se modernise en offrant des services _____.

④ Reliez : qui s'occupe de quoi ? (plusieurs possibilités)

a. L'entretien des lycées

b. L'aide sociale et la santé

c. La création de bibliothèques et d'équipements sportifs

d. Le développement économique

e. L'entretien des collèges

f. L'entretien des routes

g. L'entretien des écoles

1. La région

2. Le département

3. La commune

⑤ Donnez votre avis

a. Votre pays est-il, comme la France, divisé en régions ? Si oui, en combien de régions ?

b. Y a-t-il beaucoup de fonctionnaires dans votre pays ? L'opinion publique a-t-elle une bonne image d'eux ?

AU TRIBUNAL CORRECTIONNEL

La juge – Vous vous appelez monsieur Lebon, Yves, vous êtes né le 5 novembre 1981 à Deauville. Les faits pour lesquels vous êtes poursuivi sont les suivants : le 4 décembre 2007, vous avez conduit votre voiture en état d'ébriété[1]. Vous aviez exactement 1,4 gramme d'alcool dans le sang, une quantité bien supérieure à la normale. Pourquoi avez-vous pris la route dans ces conditions ?

L'accusé – Je rentrais chez moi. J'étais passé chez un ami qui a beaucoup de problèmes en ce moment. Nous avons beaucoup parlé et un peu bu.

La juge – Un peu ?

L'accusé – Un verre ou deux.

La juge – Seulement un verre ou deux ? Qu'est-ce que c'était comme alcool ?

L'accusé – Du vin blanc.

La juge – C'est tout ? Vous êtes sûr ?

L'accusé – Oh ! j'ai oublié. On a bu aussi du whisky… Mais je me sentais en forme quand j'ai repris la voiture. Je n'habite pas loin… à dix minutes seulement.

La juge – Même pour cent mètres, on ne prend pas sa voiture quand on a bu. Vous avez votre permis depuis combien de temps ?

L'accusé – 7 ans, madame la juge.

La juge – Quels sont vos revenus ?

L'accusé – Je gagne 1 600 euros par mois.

La juge – Vous n'avez jamais eu aucun problème avec la justice ?

L'accusé – Non, madame la juge.

La juge – Monsieur le procureur a des questions ?

Le procureur – Pas de question.

La juge – Madame l'avocate de la défense ?

L'avocate – Je voudrais attirer l'attention sur le fait que mon client n'a jamais eu de condamnation et qu'il reconnaît les faits. Je demande votre indulgence. Il est plombier et il a besoin de sa voiture pour son travail.

La juge – Monsieur le procureur, vos réquisitions[2] ?

Le procureur – Même si c'est pour un court trajet, conduire avec 1,4 gramme d'alcool dans le sang met la vie des autres en danger… et bien sûr, votre vie aussi. C'est pourquoi le tribunal requiert[3] une peine de 500 euros d'amende et quatre mois de suspension[4] du permis de conduire.

La juge – Monsieur, levez-vous ! Avez-vous quelque chose à ajouter ?

L'accusé – Non.

La juge – Vous pouvez attendre dans la salle d'à côté. La décision va être rendue tout à l'heure.

---

1. L'état dans lequel on est quand on a bu trop d'alcool.
2. Ce que vous demandez comme peine.
3. *Requérir :* demander.
4. Le fait de retirer, pour un temps limité, le permis de conduire.

INFORMATIONS

ORGANISATION SIMPLIFIÉE DES TRIBUNAUX JUDICIAIRES

LE TRIBUNAL D'INSTANCE (loyers, dettes…)	LE TRIBUNAL DE GRANDE INSTANCE (divorces, successions…)	LES JURIDICTIONS SPÉCIALISÉES (commerce, travail…)	LE TRIBUNAL DE POLICE (contraventions[1])	LE TRIBUNAL CORREC-TIONNEL (délits[1])	LA COUR D'ASSISES (crimes)

Si le jugement de donne pas satisfaction :

> LA COUR D'APPEL
> peut confirmer le jugement
> ou aggraver ou diminuer la peine

Si on estime que le jugement est contraire à la loi ou à l'intérêt général

> LA COUR DE CASSATION
> peut rejeter la demande ou peut casser le jugement

1. Une contravention est une infraction à la loi moins grave qu'un délit.

Un tribunal est le lieu où les personnes ayant un conflit viennent chercher justice et où les personnes qui n'ont pas respecté les lois sont jugées et sanctionnées. En France, il existe deux types de tribunaux : le judiciaire et l'administratif.

QUELQUES ACTEURS DE LA JUSTICE

LE PROCUREUR — LES JUGES — L'AVOCAT DE LA PARTIE CIVILE — L'AVOCAT DE LA DÉFENSE

Le juge[2] : il rend les jugements et les ordonnances. Il est nommé par le gouvernement. Il rend la justice assis : c'est un « magistrat du siège ».

Le procureur : chargé de défendre la société, il réclame l'application de la loi devant les tribunaux. Il « requiert » debout : c'est un « magistrat du parquet ».

Les avocats : l'avocat de la défense défend l'accusé. L'avocat de la partie civile défend celui qui a porté plainte (« la victime »). Quand la victime ou l'accusé(e) a des revenus trop faibles pour payer un avocat, il (elle) peut bénéficier de « l'aide judiciaire » : un avocat nommé d'office le (la) défend gratuitement.

2. Le juge d'instruction rassemble les éléments d'un dossier, décide de la détention provisoire et renvoie l'affaire devant le tribunal compétent. Le juge de l'application des peines intervient après le jugement, pendant l'exécution des peines et même après la sortie de prison.

LES FRANÇAIS ET LA JUSTICE

Question : Pour chacune des phrases suivantes concernant la justice, dites-moi si vous êtes d'accord ou pas d'accord ?	Ensemble des Français (sur 100)		
	D'accord	Pas d'accord	Ne se prononcent pas
• Faire un procès coûte cher.	89	8	3
• J'aurais peur de la justice si je devais avoir affaire à elle.	57	42	1
• J'hésiterais à engager une action en justice si j'étais victime d'une infraction.	56	42	2
• Les innocents n'ont rien à redouter de la justice.	48	51	1
• Les décisions de justice sont impartiales.	41	55	4
• Les peines prononcées par la justice sont sévères.	30	67	3
• Les citoyens sont égaux devant la justice.	28	71	1
• Les peines prononcées par la justice sont efficaces pour empêcher les récidives.	19	80	1
• Le langage de la justice est clair.	18	81	1
• La justice agit avec rapidité.	12	87	1

Source : sondage CSA/*Sélection du Reader's Digest*, 29 juillet 2004.

LA MISSION DE LA JUSTICE

Question : Selon vous, quelle devrait être la mission prioritaire de la justice en France ?

	Ensemble des Français (%)
La garantie de l'égalité de tous devant la loi	**52**
La sanction des coupables	**26**
La protection des libertés individuelles	**12**
La réparation des dommages subis	**10**
Ne se prononcent pas	—
TOTAL	**100**

Source : sondage IFOP/*Acteurs publics* « Les Français et la justice », 26 janvier 2006.

► L'abolition de la peine de mort

La France a été l'un des derniers pays d'Europe occidentale à abolir la peine de mort. Le dernier condamné a été exécuté en 1977 – ou plus exactement « guillotiné » car, depuis 1791, on utilisait la guillotine (machine inventée par le docteur Guillotin) pour appliquer la « peine capitale » en France. En septembre 1981, quand François Mitterand était président et qu'on a discuté de la possibilité de supprimer la peine de mort, 62 % des Français se déclaraient toujours favorables à la peine capitale. Mais l'abolition a finalement été votée par 369 voix contre 113.

Aujourd'hui, tout pays qui désire adhérer au Conseil de l'Europe doit accepter d'appliquer un moratoire[3] sur les exécutions dans la perspective d'une abolition totale de la peine de mort.

3. Une suspension, un arrêt momentané.

► Le casier judiciaire

C'est un document dans lequel on note les condamnations prononcées contre quelqu'un. On peut demander[4] à un futur employé un extrait de son casier judiciaire pour voir s'il n'a jamais été condamné par la justice. S'il n'a jamais été condamné, il a un casier judiciaire « vierge ».

4. Pour exercer certaines professions ou pour passer un concours dans la fonction publique.

ÉCOUTEZ ET RÉPONDEZ

a. Combien de personnes sont présentes dans ce tribunal?

b. Qui sont ces personnes?

c. Pourquoi l'accusé est-il jugé?

d. Est-ce qu'il reconnaît sa faute?

e. Depuis combien de temps est-ce qu'il a son permis?

f. Quelle peine est-ce qu'il risque?

g. Est-ce que le tribunal a pris sa décision?

FAITES LE POINT

1 Observez

A. Regardez le tableau de l'organisation des tribunaux en France puis reliez les bonnes réponses: On juge...

a. Un délit	1. au tribunal de police
b. Une contravention	2. au tribunal correctionnel
c. Un divorce	3. au tribunal de grande instance
d. Un crime	4. au tribunal d'instance
e. Un problème de dettes	5. à la cour d'assises

B. Quand est-ce qu'on demande à aller devant la cour d'appel? à la cour de cassation?

C. Regardez le sondage sur les Français et leur justice. Est-ce que la majorité des Français sont satisfaits du fonctionnement de la justice? Pourquoi? Expliquez.

D. Quel est le point sur lequel presque tous les Français sont d'accord?

E. Comparez les deux sondages et résumez l'opinion de la majorité des Français sur l'égalité devant la loi.

2 Vrai ou faux?

	V	F
a. L'avocat de la partie civile défend la victime.	☐	☐
b. Le procureur rend les jugements.	☐	☐
c. L'avocat de la défense défend l'accusé.	☐	☐
d. La France a aboli la peine de mort en 1791.	☐	☐
e. Les pays qui veulent faire partie du Conseil de l'Europe doivent avoir totalement aboli la peine de mort.	☐	☐
f. Le juge réclame seulement l'application de la loi.	☐	☐
g. Le casier judiciaire est un document sur lequel sont inscrites les condamnations.	☐	☐

3 Donnez votre avis

a. Que pensez-vous de la justice dans votre pays? Faites 2 ou 3 phrases, en vous aidant du sondage «Les Français et la justice».

b. Est-ce que la peine de mort a été abolie dans votre pays? Est-ce qu'à votre avis, c'est bien ou ce n'est pas bien?

c. Est-ce qu'il existe «un casier judiciaire» pour les citoyens de votre pays?

ON M'A VOLÉ MON PORTEFEUILLE

Dans un appartement. Un jeune homme joue à un jeu vidéo. Sa sœur arrive, l'air paniqué.

Véronica – J'en ai marre, j'en ai marre, j'en ai marre ! On m'a volé mon portefeuille !

Sébastien – Où ?

Véronica – Dans le métro. Je suis sûre que je l'avais dans mon sac ce matin. J'en suis sûre parce que je me suis acheté un pain au chocolat avant de prendre le métro. Ah là là ! quand je pense à tout ce que j'avais dedans. Ma Carte bleue, ma carte d'étudiante, ma carte Vitale.

Sébastien – Et de l'argent ?

Véronica – Pas beaucoup. Je devais avoir au maximum vingt euros. Mais j'avais aussi des photos que j'aimais bien. Franchement, ça me dégoûte !

Sébastien – Téléphone vite pour faire opposition[1] à ta Carte bleue.

Véronica – Oui, je vais le faire tout de suite. Après, il faut que je ressorte pour faire ma déclaration au commissariat de police. Quelle perte de temps !... Au fait, il est où, le commissariat ?

Sébastien – Tu ne te rappelles pas où est le commissariat ? Alors ça, c'est pas mal ! Tu ne te rappelles pas quand on est allé te chercher au commissariat ? Quand tu avais été à la manif et qu'on t'avait arrêtée ? Tu avais les yeux tout rouges parce que les CRS avaient jeté des gaz lacrymogènes[2].

Véronica – Ah oui ! je me rappelle maintenant. J'avais complètement oublié cette histoire. C'était le commissariat de la place Saint-Sulpice.

Sébastien – Eh bien oui ! il est toujours là, le commissariat.

Véronica – Et les parents qui étaient furieux !

Sébastien – Rebelle, la petite sœur… à 15 ans !

Véronica – Bon, allez, ça va. Il faut que je me dépêche d'aller faire ma déclaration.

Sébastien – Et dis bien le bonjour à tes amis policiers !

Véronica – Mes amis… pff !

---

1. Faire arrêter tous les paiements.
2. Gaz qui font pleurer et irritent la gorge.

INFORMATIONS

▶ L'armée française

C'est une armée constituée de soldats professionnels. En effet, depuis 2001, le service national (appelé aussi « service militaire ») a été supprimé. Les jeunes Français ont simplement l'obligation de suivre une « journée d'appel et de préparation à la défense ». Il n'est pas question de manier des armes mais seulement de leur donner un minimum d'informations sur la Défense nationale et leur rappeler les règles essentielles de la vie en société. C'est aussi l'occasion de détecter les jeunes en difficulté, en particulier ceux qui ont des problèmes de lecture et d'écriture... et peut-être, d'encourager certains à s'engager dans l'armée.

Le président de la République est le chef des armées. Chaque année, le 14 Juillet, jour de la fête nationale, il passe en revue les différents corps d'armée – air, terre, mer – qui défilent sur les Champs-Élysées. Ce spectacle a toujours beaucoup de succès et est retransmis à la télévision. La France possède l'arme nucléaire et croit à la force de dissuasion. L'armée française collabore, entre autres, avec l'OTAN[1] et l'ONU[2] pour des opérations de maintien de la paix dans des pays touchés par la guerre.

1. Organisation du traité de l'Atlantique Nord.
2. Organisation des Nations unies (la France est membre permanent du Conseil de sécurité).

▶ Une autre armée très différente

La Légion étrangère est un corps d'armée bien particulier : il est constitué d'étrangers, de toutes nationalités, qui s'engagent volontairement à servir la France. La Légion a été créée au moment de la conquête de l'Algérie au XIXe siècle : on manquait d'hommes pour aller combattre. Certains soldats de métier, sans emploi après les guerres impériales

et révolutionnaires, avaient quitté leur pays pour se réfugier en France. Comme ils avaient souvent perdu leurs papiers d'identité, on les autorisait à s'engager sur simple déclaration. D'où l'image, toujours actuelle, du légionnaire qui recommence une nouvelle vie... et qui retrouve aussi une nouvelle famille. À ces soldats se sont ajoutés des mercenaires[3].

Dans le code d'honneur de la Légion, on peut lire : «Chaque légionnaire est ton frère d'armes, quelle que soit sa nationalité, sa race, sa religion. Tu lui manifestes toujours la solidarité étroite qui doit unir les membres d'une même famille.» Les légionnaires peuvent refuser de prendre part à un conflit dans leur pays d'origine. Depuis 1831, plus de 35 000 légionnaires sont tombés au champ d'honneur : «étrangers devenus fils de France, non par le sang reçu, mais par le sang versé». Aujourd'hui, les légionnaires sont envoyés aussi sur des missions de maintien de la paix.

3. Soldats dont la seule motivation est le salaire.

Les policiers – appelés aussi «gardiens de la paix» – dirigent, entre autres, la circulation en se servant de leur sifflet et avec de grands gestes.
Les CRS, agents des «compagnies républicaines de sécurité»[4], sont des policiers bien connus des Français pour leurs interventions musclées dans les manifestations. Ils sont casqués, portent des matraques (sortes de bâtons) et se protègent avec un bouclier.

4. Créées en 1944.

► **Commissariat de police ou gendarmerie ?**
Quelle est la différence entre un commissariat et une gendarmerie ? En général, les commissariats se trouvent dans les grandes villes, les gendarmeries à la campagne. Les policiers ou fonctionnaires de police dépendent du ministère de l'Intérieur ; les gendarmes sont des militaires, ils dépendent du ministère de la Défense. Gendarmes et policiers ont beaucoup de missions communes, mais les gendarmes ont quelques missions spécifiques : par exemple, la police de l'air et des frontières. De plus, les gendarmes doivent être toujours disponibles.

LES FRANÇAIS ET LEUR POLICE

L'image de la police auprès des Français

Question : Avez-vous de la police et des policiers une très bonne image, une assez bonne image, une assez mauvais image, ou une très mauvaise image ?

Une très bonne image	15%
Une assez bonne image	68%
Une assez mauvaise image	14%
Une très mauvaise image	3%
Sans opinion	0%

La perception des dangers liés au métier de policier

Question : Selon vous, le métier de policier est-il...

Très dangereux	24%
Plutôt dangereux	65%
Plutôt pas dangereux	8%
Pas dangereux du tout	3%
Sans opinion	0%

Question : Face aux risques et aux dangers auxquels sont exposés les policiers, vous sentez-vous...

Tout à fait solidaire	32%
Plutôt solidaire	57%
Pas vraiment solidaire	8%
Pas du tout solidaire	3%
Sans opinion	0%

Source : «L'image de la police auprès des Français[5]», TNS-Sofres/Orphéopolis, 22-23 octobre 2004.

5. Étude réalisée par téléphone les 22 et 23 octobre 2004 pour Orphéopolis auprès d'un échantillon national de 1 000 personnes, représentatif de l'ensemble de la population française âgée de 18 ans et plus, à l'exclusion des policiers eux-mêmes et de leur famille proche.

ÉCOUTEZ ET RÉPONDEZ

a. Quelle est la relation entre ces deux personnes ?

b. Pourquoi est-ce que la fille est énervée ?

c. Qu'est-ce qu'elle doit faire maintenant ?

d. Qu'est-ce qui s'est passé quand elle avait 15 ans ?

e. Pourquoi est-ce que le garçon dit « tes amis policiers » ?

FAITES LE POINT

1 Observez

a. Lisez les résultats des sondages sur la police, additionnez les pourcentages positifs et négatifs et donnez une conclusion en 3 phrases.

b. Regardez les dessins du policier, du CRS, du légionnaire. Citez un élément de leur uniforme qui les caractérise.

2 Cochez la bonne réponse

a. ☐ 1. Le président de la République est le chef des armées.
☐ 2. Le Premier ministre est le chef des armées.

b. ☐ 1. L'armée française est une armée composée de soldats professionnels et de non-professionnels.
☐ 2. L'armée française est composée seulement de soldats professionnels.

c. ☐ 1. La France a l'arme nucléaire.
☐ 2. La France n'a pas l'arme nucléaire.

d. ☐ 1. Les gendarmes sont des fonctionnaires de police.
☐ 2. Les gendarmes sont des militaires.

e. ☐ 1. Les CRS règlent la circulation.
☐ 2. Les CRS interviennent dans les manifestations.

3 Répondez aux questions

a. Où et quand a lieu le défilé militaire auquel assiste le président ?

b. Vous êtes agressé(e) dans une grande ville. Où est-ce que vous allez porter plainte ?

c. Pourquoi est-ce que la Légion étrangère est une armée particulière ?

d. Avec quelles grandes organisations est-ce que l'armée française travaille pour les missions de paix à l'étranger ?

e. À quoi sert la « journée d'appel et de préparation à la défense » ?

4 Donnez votre avis

a. Est-ce que le service national existe dans votre pays ? Est-ce que vous pensez que c'est une bonne chose ?

b. Si le service national n'existe pas ou plus, pensez-vous qu'on devrait l'instituer ou le rétablir ? Pour les garçons et les filles ? Combien de temps devrait-il durer ?

c. Lisez le sondage sur la police et répondez à ce sondage en l'appliquant à la police de votre pays.

d. Est-ce que vous aimez les défilés militaires ? Pourquoi ?

CROIRE OU NE PAS CROIRE...

Pendant le cours de mathématiques. Deux copains chuchotent.

Lionel – Tu es croyant, toi ?

Richard – Quoi ?

Lionel – Je te demande si tu es croyant… si tu crois en Dieu.

Richard – Ben, j'sais pas, moi. Pourquoi tu me demandes ça ? Qu'est-ce qui t'arrive ?

Lionel – Tu sais, ma sœur a eu une petite fille et elle veut que je sois le parrain[1]. Je trouve ça sympa mais en même temps, ça m'embête…

Richard – Pourquoi ça t'embête ? C'est chouette d'être parrain. Tu vas lui faire des cadeaux pour Noël, pour son anniversaire. Tu seras quelqu'un d'important pour elle.

Lionel – Ben, en fait ce n'est pas si simple. Elle m'a dit que je devais aller voir le curé[2], que c'était sérieux, un baptême, qu'il fallait faire une préparation. Moi, je croyais que j'allais seulement mettre mon beau costume et me faire photographier avec la petite… et la marraine.

Richard – Elle est très catholique, ta sœur ?

Lionel – Elle est catholique, mais elle n'est pas pratiquante[3]. Dans la famille, on va à la messe pour les mariages et les enterrements.

Richard –… et les baptêmes !

Lionel – Eh oui ! et les baptêmes ! Mais c'est la famille de son mari qui est très catholique.

Richard – Ah, je vois.

Lionel – Je n'arrête pas de me poser des questions maintenant. Je me demande si je suis vraiment catholique, si je dois accepter d'être parrain… C'est drôle. On ne parle pas souvent de religion, et pourtant c'est important.

Richard – Ouais, mais c'est normal, c'est une affaire privée. Chacun a le droit de croire à ce qu'il veut.

Le professeur – Richard ! Lionel ! Qu'est-ce que vous chuchotez ?

Richard et Lionel – Rien, rien, madame. On écoute.

---

1. *Un parrain, une marraine :* celui/celle qui s'engage pour l'enfant au moment du baptême.
2. *Un curé :* un prêtre catholique qui dirige une paroisse.
3. *Pratiquant(e) :* qui pratique sa religion (par exemple, pour les catholiques, aller à la messe).

INFORMATIONS

Le village ou la ville s'organisent presque toujours autour de l'église et de sa place. Il y a environ 45 000 églises catholiques en France.

La grande mosquée de Paris : elle date de 1922. En 1970, la France comptait une centaine de lieux de culte musulmans. En 2003, selon le ministère de l'Intérieur, il y en avait 1 600. Ce ne sont pas toujours des mosquées mais, souvent, de simples salles de prière.

La synagogue de la rue Pavée : cette synagogue est située dans le Marais, le quartier juif de Paris.

L'église orthodoxe de Nice : elle est, dit-on, la plus belle église orthodoxe en dehors de la Russie.

► **L'importance de la religion en France**

La France est une terre de tradition chrétienne, surtout catholique, où la liberté de culte est respectée. C'est aussi un lieu de pèlerinages : le plus connu, Lourdes[1], attire environ six millions de croyants par an. Les malades viennent dans l'espoir d'une guérison miraculeuse. Cependant depuis les années 1980, la proportion de catholiques a diminué régulièrement en France. On estime qu'actuellement, deux Français sur trois sont catholiques, mais peut-être pas pratiquants. L'est de la France reste une région fortement catholique.

Le protestantisme s'est maintenu dans certaines régions comme le Sud-Ouest. Il est en pleine évolution et s'ouvre de plus en plus aux courants évangéliques.

L'islam est devenu la deuxième religion de France. La communauté juive de France est la plus importante d'Europe.

Mais il est difficile d'avoir des chiffres bien précis car, en France, on ne recense pas l'appartenance religieuse des citoyens, depuis la séparation des Églises et de l'État (1905). La religion est une affaire privée. Seuls, des sondages nous donnent des indications : ainsi, l'enquête faite sur les valeurs des Européens[2] montre que seulement 18 % des Français pensent que la religion occupe une place importante dans leur vie.

1. Près de Pau.
2. Enquête internationale lancée en 1981, répétée en 1990 et 1999 (*Le Monde des religions*, janvier-février 2006).

► **Les guerres de religion**

C'est le nom donné aux huit guerres qui opposent les catholiques et les protestants (calvinistes) entre 1562 et 1598. Durant cette période, les protestants subissent de terribles persécutions, dont la plus mémorable est le massacre de la Saint-Barthélemy : la nuit du 24 août 1572, des milliers de protestants sont tués. Cet affrontement tragique entre catholiques et protestants se termine quand Henri de Navarre, chef des protestants, se convertit au catholicisme et devient Henri IV.

En 1598, l'édit de Nantes rétablit la paix et décrète la liberté de conscience. Plus tard, les persécutions reprendront sous Louis XIV et l'édit sera révoqué[3]. C'est seulement en 1787 que Louis XVI signera « l'édit de tolérance » qui permettra aux personnes non catholiques d'être inscrites sur l'état civil, sans être obligées de se convertir !

3. En 1685.

Appartenance religieuse	Pourcentage dans la population
Catholiques	62 %
Musulmans	6 %
Protestants	2 %
Juifs	1 %
Sans religion	26 %

Source : www.csa.fr, mars 2003.

Pourcentage de personnes se déclarant athées en Europe (1999)

Ex-Allemagne de l'Est 18
France 14
Belgique 8
Russie 8
Espagne 6
Suisse 6
Suède 6
Tchéquie 6
Bulgarie 6
Pays-Bas 6
Danemark 5
Hongrie 5
Grande-Bretagne 4
Ex-Allemagne de l'Ouest 4
Slovaquie 4
Portugal 3
Italie 3
Ukraine 3
Autriche 2
Irlande 2
Pologne 1
Lituanie 1
Roumanie 1

Source : Yves Lambert, « L'Europe des athées convaincus », *Le Monde des religions*, janvier-février 2006.

► **L'affaire Dreyfus**

En 1894, un officier français, Alfred Dreyfus, est accusé d'avoir communiqué des documents confidentiels à un militaire allemand. Jugé, condamné, Dreyfus est déporté en Guyane. Il faudra douze ans pour que son innocence soit reconnue. Dreyfus était juif. « L'affaire Dreyfus » a divisé la France en deux clans : les dreyfusards et les anti-dreyfusards. Parmi ces derniers, l'écrivain Émile Zola, qui a écrit une lettre au président de la République pour défendre Dreyfus. Cette lettre commence par un « J'accuse » qui restera célèbre.

ÉCOUTEZ ET REPONDEZ

a. Où sont ces deux jeunes gens ?

b. Que signifie le mot « croyant » ?

c. De quoi est-ce qu'ils parlent ?

d. Pourquoi ont-ils choisi ce sujet de conversation ?

e. Que signifie le mot « pratiquant » ?

f. Quelle est la conclusion de cette conversation ?

FAITES LE POINT

1 Observez

a. Regardez une carte de France et situez la ville de Lourdes. Quelle est la particularité de cette ville ?

b. Regardez le tableau des « personnes se déclarant athées ». Cherchez la signification du mot « athée » ? Dans ce tableau, quelle est la position de la France ?

c. D'après ce tableau, dans quels pays est-ce qu'on trouve le moins d'athées ?

d. Regardez les illustrations des lieux de cultes : qui va à l'église ? à la mosquée ? à la synagogue ?

e. Voyez-vous une différence architecturale entre une église catholique et une église orthodoxe ?

2 Cochez les phrases qui sont exactes

a. ☐ On est libre de pratiquer la religion qu'on veut en France.

b. ☐ La proportion des catholiques est restée stable ces dix dernières années.

c. ☐ On a créé beaucoup de lieux de culte musulmans en France depuis trente ans.

d. ☐ La communauté juive en France est la plus importante du monde.

e. ☐ Les guerres de religion ont eu lieu au xvᵉ siècle.

f. ☐ Dreyfus était un officier français juif.

g. ☐ La majorité des Français pensent que la religion occupe une place importante dans leur vie.

3 Répondez

a. Quelle est la religion dominante en France ?

b. Quelle est la deuxième religion de France ?

c. Quel grand principe républicain a été adopté en 1905 ?

d. Quelles sont les deux religions qui se sont affrontées pendant les guerres de religion ?

e. De quoi était accusé Dreyfus ?

f. Est-ce qu'il était coupable ou innocent ?

4 Donnez votre avis

a. Est-ce que la religion est pour vous une « affaire privée » ? un sujet « tabou » (interdit, dont on ne doit pas parler) ?

b. Est-ce qu'il est important, à votre avis, de créer des lieux de culte pour toutes les religions, même les religions minoritaires dans un pays ?

TRAVAILLER AU PARLEMENT EUROPÉEN

Dans la rue.

Juliette – Louisa ! Quelle surprise ! Qu'est-ce que tu fais là ? Je croyais que tu étais à Madrid.

Louisa – Oui, j'étais à Madrid mais c'est fini. J'ai quitté mon travail.

Juliette – Tu étais traductrice pour un cabinet d'avocats, c'est ça ?

Louisa – Oui, c'est ça. C'était bien payé mais ça ne m'intéressait pas vraiment. Trop technique. Alors, après un an, j'ai décidé de retourner à mes premières amours : l'interprétariat. J'ai présenté un concours et j'ai été reçue. Dans deux semaines, je serai interprète… devine où ?

Juliette – Où ?

Louisa – Au Parlement européen !

Juliette – Oh ! pas mal ! Alors, tu vas émigrer au Luxembourg ?

Louisa – Non, c'est seulement le secrétariat du Parlement européen qui est à Luxembourg[1]. Moi, je vais habiter à Strasbourg et je travaillerai aussi de temps en temps à Bruxelles.

Juliette – Mais le Parlement, il est à Strasbourg ou à Bruxelles ? Je n'y comprends rien…

Louisa – Les douze sessions annuelles sont à Strasbourg qui est le siège[2] du Parlement européen, mais certaines séances et commissions parlementaires sont à Bruxelles. C'est vrai, c'est un peu compliqué.

Juliette – Et toi, tu parles combien de langues ?

Louisa – Eh bien, l'espagnol et le roumain sont mes deux langues maternelles. Mon père était espagnol et ma mère est roumaine et le français, c'est la langue que j'ai apprise très jeune…

Juliette – Et que tu parles parfaitement.

Louisa – Oui, oui. Et toi ? Qu'est-ce que tu fais en ce moment ?

Juliette – Moi, je m'occupe de mon fils, Valentin. Il a 6 mois. J'ai pris un congé parental[3] pour être mère de famille à temps complet et je suis ravie !

Louisa – Tu as de la chance, moi je suis toujours célibataire. Je n'ai toujours pas trouvé le père de mes futurs enfants.

Juliette – Tu le rencontreras peut-être au Parlement européen…

Louisa – Qui sait…

---

1. *Le Luxembourg* est le pays et *Luxembourg*, la capitale.
2. *Le siège* : le lieu où est établie une société ou une organisation.
3. *Un congé parental* : période de non-activité professionnelle qu'un parent peut prendre à la suite de la naissance d'un enfant.

INFORMATIONS

LES INSTITUTIONS EUROPÉENNES EN 2008

Les institutions politiques

Le Conseil européen
à Bruxelles
Composition : chefs d'État et de gouvernement.
Définit les grandes orientations politiques.

La commission européenne
à Bruxelles
Composition : 27 commissaires nommés pour 5 ans.
Représente l'intérêt général de l'Union.
Propose et exécute les lois.

Le Parlement européen
à Strasbourg et à Bruxelles
785 députés élus pour 5 ans
au suffrage universel
Représente les citoyens et élabore les lois.

Le Conseil de l'Union européenne
à Bruxelles et à Luxembourg
Ministres des États membres
en fonction des sujets traités
Représente les États et adopte les lois.

Deux grandes institutions de contrôle

La Cour de justice
à Luxembourg
Veille au respect du droit communautaire.

La Cour des comptes
à Luxembourg
Contrôle les recettes et les dépenses.

Deux entités économiques

La Banque centrale européenne
à Francfort
Émet et gère l'euro.

La Banque européenne d'investissement
à Luxembourg
Finance les investissements d'intérêt européen.

D'après *Courrier International* n° 872, 19-25 juillet 2007.

► Les Français et l'Europe

Même si les Français ont d'abord voté « non » au projet de la Constitution européenne en 2005 puis l'ont finalement adopté avec des modifications en 2008, cela ne signifie pas qu'ils sont contre l'Europe. En fait, l'appartenance à l'Europe est jugée positive par la majorité des Français (52 %). 71 % d'entre eux se disent fiers d'être européens (mais 91 % se disent aussi « fiers » d'être français !). Plus de la moitié jugent l'Europe « démo-

cratique»...mais aussi «technocratique». 46% pensent que l'Europe a trop de pouvoirs et désireraient que plus de décisions soient prises au niveau national et local plutôt qu'au niveau européen. De même, la monnaie européenne ne fait pas l'unanimité : 42% des Français aimeraient revenir au franc. Beaucoup pensent que le passage à l'euro a eu comme conséquence une augmentation des prix. Enfin, en ce qui concerne l'élargissement de l'Europe par l'entrée de nouveaux pays, les Français restent très divisés.

Pourtant, ils reconnaissent que le développement de l'Union européenne facilite la mobilité des personnes, crée une plus grande richesse culturelle, assure la paix et la stabilité du continent et favorise la démocratie dans les pays membres. Reste la peur de la concurrence avec des pays où la main-d'œuvre est moins chère.

Sources : d'après un sondage TNS-Open Europe, mars 2007 et Eurobaromètre, juin 2006.

▶ **Une tour de Babel**

Certains comparent le Parlement européen à la tour de Babel[2]. Heureusement, grâce à 350 interprètes permanents et 2 500 interprètes indépendants qui travaillent pendant les périodes chargées, tout le monde arrive à se comprendre. En 1950, quand la Belgique, l'Allemagne, la France, l'Italie, le Luxembourg et les Pays-Bas ont institué la Communauté européenne du charbon et de l'acier (CECA), il n'existait que quatre langues officielles : le français, l'allemand, l'italien et le néerlandais. Aujourd'hui, il y en a vingt-trois, ce qui fait 506 combinaisons linguistiques possibles ! Le droit de chaque député de lire les documents, de suivre les débats et de s'exprimer dans sa propre langue est reconnu officiellement. Vive le plurilinguisme !

2. Dans la Bible, la tour de Babel était un édifice que les hommes construisaient le plus haut possible, pour défier Dieu. Voulant les punir pour leur arrogance, Dieu leur a fait parler à tous des langues différentes. Ainsi, les hommes ne se comprenaient plus et ne pouvaient plus continuer à construire la tour.

LE BUDGET 2007 DE L'UNION EUROPÉENNE : RÉPARTITION (total : 126,5 milliards d'euros)

Source : Commission européenne, d'après *Courrier International*, 19-25 juillet 2007.

LE PASSÉ ET LE FUTUR DE L'EUROPE VU PAR LES FRANÇAIS

Question 1
Quel événement vous semble symboliser le mieux l'Union européenne ? [1]

L'introduction de l'euro	**53%**
La chute du mur de Berlin	**45%**
La suppression des contrôles aux frontières	**30%**

Question 2
Dans quels domaines souhaitez-vous voir l'Union européenne aller plus loin dans les vingt années à venir ?[1]

Une politique sociale commune	**48%**
Une politique environnementale commune	**47%**
Autres domaines cités : la sécurité, la recherche, l'énergie, l'immigration	**5%**

1. Total supérieur à 100, car plusieurs réponses étaient possibles.

Source : sondage «50 ans de construction européenne», CSA-CISCO pour Toute l'Europe/France 3/ France Info, mars 2007.

LES PRINCIPAUX CONTRIBUTEURS AU BUDGET 2006

Contribution au budget communautaire 2006 (en %)	
Allemagne	20,56 %
France	16,43 %
Italie	13,69 %
Royaume-Uni	12,38 %
Espagne	8,93 %
Pays-Bas	5,20 %
Belgique	4,01 %
Suède	2,72 %
Pologne	2,34 %
Autriche	2,15 %
Danemark	2,10 %

Total du budget 2006 : 121 milliards d'euros

La contribution de chaque État membre est fonction de la richesse et de la taille du pays.

Source : www.touteleurope.fr, d'après *Courrier International*, 19-25 juillet 2007.

ÉCOUTEZ ET RÉPONDEZ

a. À votre avis, quelle est la relation entre ces deux jeunes femmes ?

b. Que faisait Louisa à Madrid et pourquoi a-t-elle quitté son travail ?

c. Que va-t-elle faire maintenant ?

d. Pourquoi les jeunes femmes parlent-elles de Strasbourg, de Luxembourg et de Bruxelles ?

e. Quelles langues parle Louisa ?

f. Que fait son amie ?

FAITES LE POINT

1 Observez

a. Regardez page 119 la carte de l'Europe en 2007. Quels sont les six pays les plus anciens de l'Union européenne ? Quels sont les plus récents ?

b. Regardez le budget 2007. Quel est le poste de dépenses le plus important ?

c. Résumez en 2 phrases le passé et le futur de l'Europe vus par les Français.

d. Lisez « Les Français et l'Europe » : est-ce que les Français, dans leur majorité, pensent que c'est bien pour leur pays de faire partie de l'Europe ?

e. Quels sont les trois pays qui contribuaient le plus à l'Union européenne en 2006 ?

2 Reliez : faites correspondre les lieux et les institutions

a. La Commission européenne

b. Le Parlement européen

c. Le Conseil de l'Union Européenne

d. La Cour de justice

e. La Cour des comptes

f. La Banque centrale européenne

g. La Banque européenne d'investissement

1. Bruxelles
2. Strasbourg
3. Luxembourg
4. Francfort

3 Barrez la réponse fausse : dans l'Union européenne…

a. Qui définit les grandes orientations ? → Le Conseil européen./Le Conseil de l'UE.

b. Qui propose les lois ? → La Commission./Le Parlement.

c. Qui élabore les lois ? → La Commission./Le Parlement.

d. Qui adopte les lois ? → La Commission./Le Conseil de l'UE.

e. Qui exécute les lois ? → La Commission./Le Conseil de l'UE.

f. Qui représente les citoyens ? → Le Parlement./Le Conseil de l'UE.

g. Qui représente les États ? → Le Parlement./Le Conseil de l'UE.

h. Qui émet l'euro ? → La Banque centrale./La Banque d'investissement.

i. Qui finance les investissements ? → La Banque centrale./La Banque d'investissement.

j. Qui contrôle les dépenses ? → La Banque centrale./La Cour des comptes.

4 Donnez votre avis

a. Est-ce que votre pays fait partie de l'Union européenne ? Si oui, est-ce que vous pensez que c'est une bonne chose ?

b. Quel(s) avantage(s) voyez-vous à avoir une monnaie européenne commune ?

c. Pensez-vous qu'on devrait limiter le nombre des langues au Parlement européen ? Pourquoi ?

ENQUÊTE

Dans la rue, un enquêteur pose des questions à des passants.

L'enquêteur – Pardon monsieur, est-ce que je peux vous poser quelques questions ?

L'homme – Sur quoi ?

L'enquêteur – Sur la Francophonie.

L'homme – Vous savez moi, je travaille. Je n'ai pas le temps de répondre à des questions que je ne comprends pas. La… quoi ?

L'enquêteur – La Francophonie.

L'homme – Non, ça ne me dit rien et je n'ai pas le temps. Désolé.

L'enquêteur – Ce n'est pas grave. Au revoir, monsieur.

(Quelques minutes plus tard.)

L'enquêteur – Pardon madame, vous avez quelques minutes pour répondre à des questions sur la Francophonie ? Vous connaissez la Francophonie ?

La femme – Je crois que ce sont les pays qui parlent français, c'est ça ? C'est une organisation gouvernementale, non ?

L'enquêteur – Oui, oui. Est-ce vous pouvez citer des pays qui font partie de la Francophonie ?

La femme – Les Antilles, la Nouvelle-Calédonie, l'île de la Réunion.

L'enquêteur – Oui, ça ce sont des départements et des pays d'outre-mer.

La femme – Ah oui, la Francophonie c'est plus large, n'est-ce pas ? Ce sont tous les pays où on parle français ?

L'enquêteur – Oui, et même des pays où la langue française est une langue étrangère privilégiée, comme le Maroc ou la Tunisie.

La femme – Ah oui, il y a aussi les anciennes colonies françaises : le Sénégal, la Côte d'Ivoire, l'Algérie[1], le Cameroun…

L'enquêteur – Et vous pouvez citer d'autres pays ?

La femme – Où on parle français ? Oui, il y en a beaucoup d'autres. Attendez… Ah oui, le Liban, je sais parce que j'y suis allée. Et puis le Québec, bien sûr !

L'enquêteur – Bravo, madame ! À votre avis, combien de pays font partie de la Francophonie : une trentaine, une quarantaine, une cinquantaine ?

La femme – Je dirais une quarantaine.

L'enquêteur – Plus, madame. Cinquante-trois, exactement. Dernière question : à quoi sert la Francophonie ?

La femme – Je crois qu'on fait beaucoup d'échanges et de coopération entre les pays francophones. Pour la santé, l'éducation, les techniques, la culture, tout ça…

L'enquêteur – Parfait ! Eh bien, pour vous remercier d'avoir répondu à toutes ces questions, je vous offre une invitation pour le prochain concert de Taha, Khaled et Faudel[2].

La femme – Merci beaucoup.

---

1. Pays du monde francophone continuant à utiliser le français (dans l'enseignement par exemple) qui n'est pas membre de l'OIF (voir p. 44).
2. Trio algérien qui chante de la musique raï.

INFORMATIONS

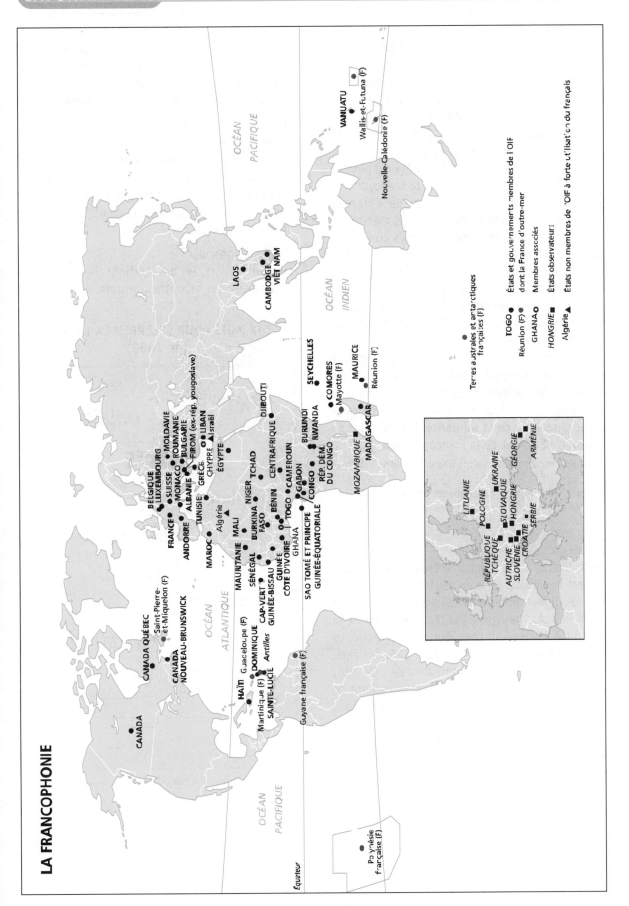

LA FRANCOPHONIE

OCÉAN PACIFIQUE

OCÉAN ATLANTIQUE

OCÉAN PACIFIQUE

OCÉAN INDIEN

Équateur

CANADA
CANADA QUÉBEC
Saint-Pierre-et-Miquelon (F)
CANADA NOUVEAU-BRUNSWICK
HAÏTI
Guadeloupe (F)
DOMINIQUE
SAINTE-LUCIE Antilles
Martinique (F)
Guyane française (F)

Polynésie française (F)

BELGIQUE
LUXEMBOURG
FRANCE SUISSE MONACO
ANDORRE ALBANIE
MOLDAVIE
ROUMANIE
BULGARIE
FIROM (ex-rép. yougoslave)
GRÈCE LIBAN
CHYPRE Israël
ÉGYPTE
TUNISIE
MAROC
Algérie
MAURITANIE MALI NIGER TCHAD
SÉNÉGAL BURKINA FASO
CAP-VERT GUINÉE
GUINÉE-BISSAU CÔTE D'IVOIRE
GHANA TOGO BÉNIN
CENTRAFRIQUE
CAMEROUN
SAO TOMÉ ET PRINCIPE
GUINÉE-ÉQUATORIALE
GABON CONGO
RÉP. DÉM. DU CONGO
DJIBOUTI
BURUNDI
RWANDA
MOZAMBIQUE
MADAGASCAR

LAOS
CAMBODGE
VIÊT NAM

SEYCHELLES
COMORES
Mayotte (F)
MAURICE
Réunion (F)

VANUATU
Wallis-et-Futuna (F)
Nouvelle-Calédonie (F)

Terres australes et antarctiques françaises (F)

LITUANIE
POLOGNE
UKRAINE
RÉPUBLIQUE TCHÈQUE
SLOVAQUIE
AUTRICHE HONGRIE
SLOVÉNIE GÉORGIE
CROATIE ARMÉNIE
SERBIE

TOGO ● États et gouvernements membres de l'OIF
Réunion (F) ● dont la France d'outre-mer
GHANA ○ Membres associés
HONGRIE ■ États observateurs
Algérie ▲ États non membres de l'OIF à forte utilisation du français

►L'OIF c'est quoi ?

En 1970, dix-huit pays ayant la langue française en commun ont décidé de créer « l'Agence de coopération culturelle et technique » (ACCT). Comme son nom l'indique, cette institution avait comme objectif de favoriser des échanges dans le domaine de la culture et de la technique, mais aussi de la recherche, de l'éducation et de la formation. Elle voulait également promouvoir la langue française et la diversité culturelle et linguistique de chacun de ces États.

Aujourd'hui, cette coopération a été rebaptisée l'Organisation internationale de la Francophonie (OIF), plus connue sous le nom de « Francophonie », et compte cinquante-trois membres[1]. Elle ne réunit pas seulement les pays où le français est la langue maternelle (comme le Québec ou le Luxembourg), ou la langue officielle (comme le Cameroun), mais aussi ceux où elle est la langue d'enseignement ou la langue étrangère privilégiée. Environ 200 millions de personnes parlent français dans le monde[2].

Cette communauté s'est fixé également une mission politique : diffuser les valeurs de paix, de démocratie, veiller au respect des droits de l'homme et travailler au service du développement durable et de la solidarité. Une fois par an a lieu le « Sommet de la Francophonie ».

1. Et deux membres associés : le Ghana et Chypre. Voir page 118.
2. Dont 72 millions de francophones partiels. Estimations publiées dans *La Francophonie dans le monde*, Nathan (édition 2006-2007).

► Des comptes difficiles

Le budget de la Francophonie était de 89 millions d'euros en 2006... et sa dette était de dix millions d'euros. Il faut dire que certains pays de l'OIF sont parmi les plus pauvres de la planète et ont de la difficulté à payer leur contribution obligatoire. La France, pour sa part, finance 75 à 85 % des activités de la Francophonie internationale[3]. De plus, en s'élargissant, les coûts de fonctionnement de l'organisation ont considérablement augmenté.

Bref, une gestion plus rigoureuse doit être mise en place pour préserver ce bel idéal qu'est la Francophonie.

3. Source : d'après *L'Express*, 28 septembre 2006.

►La Semaine de la langue française, mode d'emploi

Durant une semaine, dix mots sont choisis pour célébrer la langue française dans les pays francophones. C'est une manière poétique de renforcer le lien social créé par la langue, de provoquer des rencontres et des échanges d'idées, de redécouvrir la richesse de la langue française.

Que faire avec ces mots ?
Écrire des textes (poésie, théâtre, chansons, etc.) et les mettre en scène ; faire des dessins, des photos, des sculptures et les exposer ; créer des ateliers d'écriture en ligne, des forums de discussions ; créer des jeux (jeux de mots ou jeux de scrabble...), etc.

Qui peut participer ?
Les particuliers, les associations, les écoles, les entreprises, les bibliothèques, etc.

DIX MOTS POUR CÉLÉBRER LA LANGUE
(en 2008)

apprivoiser   palabre

boussole

jubilatoire

rhizome

toi

passerelle

s'attabler

visage

tact

Source : ministère de la Culture et de la Communication.

ÉCOUTEZ ET RÉPONDEZ

a. Quel est le sujet de l'interview ?

b. Pourquoi le passant refuse de répondre ?

c. Est-ce que la femme sait quelque chose sur le sujet ?

d. Faites la liste de tous les pays cités.

e. Qu'est-ce qui se passe à la fin du dialogue ?

FAITES LE POINT

1 Observez

A. Lisez les mots de la « Semaine de la langue française ». Les comprenez-vous ?
Faites correspondre un mot de chaque série, de sens équivalent ou proche.
a. apprivoiser – b. le tact – c. une boussole – d. un visage – e. jubilatoire
1. gai – 2. une figure – 3. domestiquer – 4. la délicatesse – 5. un instrument de navigation.

B. Lisez ci-dessous les différentes définitions d'une langue.
Parmi les 10 mots de la Semaine, trouvez 1, 2 ou 3 mots qui peuvent être reliés aux définitions suivantes (plusieurs possibilités).
a. Une langue est un moyen de trouver le chemin de la communication.
b. Une langue permet de faire connaissance avec l'autre.
c. Une langue permet de partager la joie.
d. Une langue donne une identité.
e. Une langue est pleine de nuances.

C. Regardez la carte de la Francophonie p. 43 et trouvez trois pays qui en font partie et qui n'ont pas été cités dans le dialogue.

2 Barrez ce qui est faux

a. *Quelques pays appartenant à la Francophonie :* le Vietnam – le Japon – l'Albanie – le Venezuela – le Cambodge – la Roumanie – la Belgique – l'Argentine – la Suisse.

b. *États de la Francophonie qui sont d'anciennes colonies françaises :* le Gabon – la Pologne – le Togo – le Rwanda – la Mauritanie – le Mali – la Hongrie – le Congo.

3 Complétez

a. La Francophonie fait la promotion de _____ et de _____ .

b. Dans les pays de la Francophonie le français est la langue _____ ou _____ ou _____ ou _____ .

c. La Francophonie favorise les échanges dans les domaines de _____ , de _____ , de _____ et de _____ .

d. La Francophonie diffuse des valeurs de _____ , de _____ et de _____ .

e. Il y a environ _____ de personnes qui parlent français dans le monde.

f. La Francophonie a quelques problèmes de _____ .

4 Donnez votre avis

a. Est-ce que vous trouvez l'idée de la « Semaine de la langue française » intéressante ?

b. Si vous y participiez, que feriez-vous ?

c. Quelle(s) langue(s) parle-t-on dans votre pays ? La langue (ou une des langues) de votre pays est-elle parlée dans d'autres pays ? Lesquels ?

JEU DE SCRABBLE

Des amis jouent au Scrabble.

Marie – C'est à qui de jouer ?

Julien – À moi ! Tu m'as laissé une petite place idéale pour placer mon K et mon W… KIWI !

Marie – Pas très original, mais ça paie. À toi de jouer, Xavier.

Xavier – Voilà ! Je crois que j'ai fini : B, I, C… BIC !

Marie – Qu'est-ce que ça veut dire ?

Xavier – Bic, tu n'écris pas avec un bic, toi ? un bic, un stylo à bille, quoi !

Marie – Mais on n'accepte pas les marques.

Xavier – Mais ce n'est plus seulement une marque, c'est aussi un nom commun : comme « frigidaire ».

Julien – Tu es sûr ?

Xavier – Ben, regarde dans le dictionnaire.

(Julien cherche le mot dans le dictionnaire.)

Julien – BIC, nom masculin. Entre parenthèses : marque déposée. Stylo à bille de cette marque.

Marie – D'accord. On accepte ! Tu as gagné !

Julien – Au fait, c'est une invention française, le bic ?

Xavier – Eh oui ! Comme le K-way.

Marie – Un K-way, tu veux dire cette sorte d'anorak léger, avec une capuche, et bien pratique quand on fait du bateau ?

Xavier –… ou quand on part en randonnée. Oui, c'est ça ! un coupe-vent, quoi !

Julien – Et le champagne, c'est bien français aussi ?

Xavier – Évidemment !

Julien – Alors si on ouvrait la bouteille qui est bien au frais dans le frigidaire ? Oh pardon ! le réfrigérateur !

INFORMATIONS

QUELQUES PRODUITS BIEN FRANÇAIS

► Le béret basque

Quel est le point commun entre l'abbé Pierre, Greta Garbo, Hemingway et Che Guevara ? Tous portaient le fameux béret basque – ce chapeau rond et plat qui fait partie de la caricature du Français avec sa baguette sous le bras et un litre de vin rouge à la main. Une image qui est un peu passée de mode mais le béret « basque », tricoté à la main[1], originaire du Béarn[2], est toujours fabriqué à Nay, à côté de Pau... et toujours porté.

1. Puis traité spécialement pour obtenir l'aspect d'un tissu : le feutre.
2. Une région du Sud-Ouest, près des Pyrénées.

► La baguette

L'origine de la baguette remonte, dit-on, aux années 1830. À cette époque, les boulangers fabriquaient de grosses miches de pain rondes. C'est alors qu'on a introduit le pain viennois, un pain blanc, à base de levure de bière et de lait et de forme allongée. Pour qu'il coûte moins cher, on a remplacé le lait par de l'eau. Il est devenu le pain du peuple, le « pain quotidien ». On devait l'acheter tous les jours parce qu'il ne se conservait pas bien (ce qui est toujours le cas). La boulangerie est ainsi devenue, et est toujours, un lieu très important dans toutes les villes et les villages français.

► Les Gauloises bleues

Ces cigarettes, à l'origine seulement de tabac brun, sont apparues en 1910. Leur paquet est bien reconnaissable : sur un fond bleu – bleu comme l'uniforme de l'armée française, bleu comme la première couleur du drapeau français – le casque des Gaulois, les Celtes qui peuplaient la Gaule, les ancêtres des Français. Cigarettes très patriotiques, rustiques, fortes, viriles. Attention ! aujourd'hui en France, il est interdit de fumer dans tous les lieux publics.

►Le champagne

Pendant des siècles, les rois de France ont été sacrés à Reims, en Champagne. C'est dans cette région dont il a pris le nom qu'est né ce vin d'exception, le champagne. Déjà au XIIe siècle, c'était un vin royal, présent à toutes les grandes occasions. Depuis, il a continué à être le symbole de la fête. Fêtes officielles, fêtes familiales, mais aussi fêtes pour célébrer les victoires sportives. Les plus beaux bateaux du monde ont été baptisés au champagne puisque la coutume veut qu'on casse une bouteille de champagne sur la coque au moment de la première mise à l'eau.

►Le savon de Marseille

Ce gros cube, qui peut laver aussi bien les vêtements que la douce peau d'un bébé, a fait la fortune des Marseillais de 1906 à la Seconde Guerre mondiale. Il était alors pratiquement en situation de monopole. Puis est venue la concurrence : les savonnettes parfumées. À présent, il est de nouveau à la mode. Son aspect naturel et un peu brut plaît.

►Perrier, c'est fou !3

La petite bouteille verte à la forme arrondie pétille dans le monde entier. Son eau, naturelle et gazeuse, vient d'une source connue depuis l'antiquité, la source des Bouillens, dans le Gard, au sud de la France. Environ 805 millions de bouteilles sont vendues par an. Aujourd'hui, Perrier fait partie du grand groupe alimentaire suisse Nestlé SA.

3. Slogan publicitaire des années 1980.

►Le petit crocodile de monsieur Lacoste

Oui, monsieur Lacoste a bien existé! René Lacoste a été trois fois champion de tennis à Roland-Garros. Comme les journalistes américains le surnomment «le crocodile», il décide un jour de faire broder un petit crocodile sur son blazer. En 1933, décidant d'arrêter sa carrière sportive, il se lance dans les affaires et fonde la société «La Chemise Lacoste». Au début, cette chemise polo est destinée seulement aux sportifs et étudiée pour résister à la chaleur des courts de tennis. Dans les années 1970, elle devient très à la mode, à la fois chic et décontractée. Aujourd'hui, elle est beaucoup vendue dans le monde entier... et aussi copiée.

►Le stylo Bic

Dans les années 1950, le baron Bich a l'idée géniale d'inventer un stylo à bille bon marché. Le stylo «Bic cristal» est lancé et, avec lui, le concept du «jetable». Son inventeur lui donne son nom, en enlevant le «h» final pour qu'il soit plus facile à prononcer dans toutes les langues. Et c'est le succès. Le «bic» s'exporte. La société se développe dans le domaine de la papeterie. Dans les années 1970, Bic crée ses premiers briquets et ses premiers rasoirs. Aujourd'hui, Bic est présent sur les cinq continents, dans plus de 160 pays.

LES PRÉFÉRENCES DES FRANÇAIS

Si vous pensez à tous les produits du terroir français ou produits typiquement français que vous connaissez, quels sont ceux auxquels vous êtes le plus attaché, que vous ne voudriez surtout pas voir disparaître? Répondez librement, dites-nous tout ce qui vous vient à l'esprit (plusieurs réponses possible).

	Ensemble des Français (%)
Le fromage	**46**
Le vin	**43**
Les fruits et légumes	**19**
Le foie gras	**10**
La viande de bœuf	**10**
La charcuterie	**10**
La baguette	**10**
Les produits laitiers	**7**
Les spécialités régionales	**4**
Les produits du patrimoine (automobile, tour Eiffel, haute couture, textile, artisanat..)	**3**
L'agriculture en général	**3**
Le champagne	**3**

Extrait d'un sondage CSA, septembre 2006.

ÉCOUTEZ ET RÉPONDEZ

    a. Quelle est la relation entre ces jeunes gens ?

    b. Qu'est-ce qu'ils font ?

    c. Quel problème se pose à eux ?

    d. Comment est-ce qu'ils trouvent une solution ?

    e. Qu'est-ce qu'ils vont faire maintenant ?

FAITES LE POINT

1 Observez

    a. Lisez le sondage : parmi les produits cités, est-ce qu'il y en a beaucoup que vous ne connaissez pas ? Lesquels ? Cherchez leur signification dans un dictionnaire.

    b. Regardez sur une carte où est le Pays basque ? où est Reims ? où est le Gard ? où est Marseille ?

    c. À quel genre de produits les Français sont-ils le plus attachés ?

    d. D'après ce sondage, quelle place est-ce que le patrimoine artisanal ou industriel occupe pour eux ?

    e. Regardez les dessins et faites-les correspondre à chaque produit décrit.

2 Devinez : de quoi est-ce qu'ils parlent ?

    a. « Elle craque sous la dent quand elle est bien fraîche. Elle accompagne tous les plats. »

    b. « Il n'y a pas que les bergers qui le portent. »

    c. « Il fait partie de toutes les fêtes. »

    d. « Il a remplacé la plume. »

    e. « Il rend un T-shirt très chic. »

    f. « C'est une eau pleine de vie. »

    g. « Elles ne sont pas bonnes pour la santé. »

3 Répondez aux questions

    a. Qui était René Lacoste ?

    b. Qui a créé le stylo à bille jetable ?

    c. Quelles sont les deux raisons de la célébrité de la ville de Reims ?

    d. Est-ce qu'il y a du lait dans la baguette de pain que les Français achètent tous les jours ?

4 Donnez votre avis

    a. Est-ce que le résultat du sondage est une surprise pour vous ?

    b. Quand vous pensez à la France, à quels produits pensez-vous ?

    c. Quels sont les produits typiques de votre pays ?

    d. Est-ce que vous pensez que la caricature du Français avec le béret basque, la baguette, la cigarette à la bouche et un litre de vin à la main a complètement disparu ?

    e. Quel produit français aimeriez-vous acheter ?

INVITATION À LA CAMPAGNE

Au téléphone.

Jules – Allô, Fleur ?

Fleur – Oui, bonjour, c'est Jules ?

Jules – Oui, c'est moi. Ça va ?

Fleur – Oui, ça va.

Jules – T'as pas[1] l'air très en forme.

Fleur – C'est vrai, je suis un peu fatiguée. J'ai beaucoup travaillé cette semaine.

Jules – Eh bien, justement, je vais te proposer quelque chose qui va te faire du bien.

Fleur – Qu'est-ce que tu as encore inventé ?

Jules – Voilà. Je discutais avec Jean hier et on se disait que ce serait bien de changer d'air, de sortir de la ville, d'aller à la campagne. Alors, j'ai pensé à mon oncle, le frère de ma mère, celui qui habite en Normandie. Je l'aime bien. Il a une ferme. On y allait souvent quand j'étais petit. J'adorais ça. Surtout m'occuper des vaches.

Fleur – Des vaches ? Tu veux passer le week-end chez les vaches ?

Jules – Arrête ! Je suis sérieux. Il a une grande exploitation agricole près d'un petit village très sympa. On pourra faire des grandes balades, respirer le bon air, manger des produits de la ferme.

Fleur – Ouais…

Jules – En tout cas, Jean est d'accord. Il a envie de se mettre au vert… tu verras mon oncle, il est non seulement drôle, mais il est aussi très engagé et très intéressant. Passionné par son métier. Il est contre les OGM et il a milité avec José Bové[2]. Il le connaît même personnellement.

Fleur – Il est écolo ?

Jules – Ça oui ! Et chez lui, on mange cent pour cent bio.

Fleur – Vous partez quand ?

Jules – Vendredi vers six heures et on revient dimanche soir tard.

Fleur – D'accord, c'est gentil d'avoir pensé à moi. Vous passez me prendre ?

Jules – Pas de problème, à vendredi !

---

1. Tu n'as pas.
2. Porte-parole de la Confédération paysanne (voir page 52).

INFORMATIONS

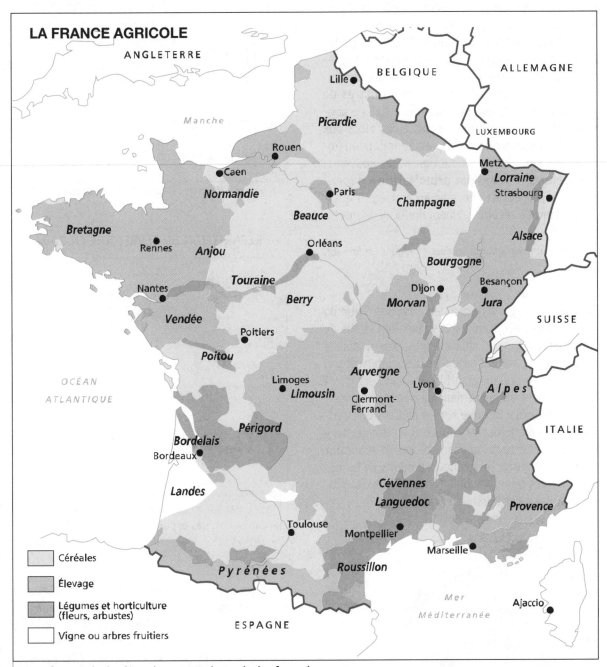

LA FRANCE AGRICOLE

Légende :
- Céréales
- Élevage
- Légumes et horticulture (fleurs, arbustes)
- Vigne ou arbres fruitiers

La surface agricole s'étend sur 60 % du territoire français.

► **Une agriculture performante**

La France est globalement, par sa diversité et sa production, le premier producteur agricole de l'Union européenne et le deuxième pays exportateur dans le monde.

En 2005, elle contribuait pour 20 % (en valeur) à la production agricole de l'Union européenne. Grâce à sa position géographique et à son climat, la France est à la fois un pays du Sud pour la vigne et les productions de légumes et de fruits, et un pays du Nord pour ses grandes cultures de céréales, d'oléagineux[1] et de betteraves à sucre. Ces vingt-cinq dernières années, l'agriculture française s'est modernisée et est devenue plus performante. Les plus petites exploitations ont presque disparu, les exploitations non spécialisées et les élevages laitiers ont diminué et le nombre d'agriculteurs s'est réduit de moitié (3,5 %

de la population active). En revanche, le nombre de grandes exploitations a progressé : concentration, donc, mais aussi mécanisation car la machine remplace de plus en plus l'homme. L'agriculture biologique reste encore modeste : elle ne représente que 2 % de l'agriculture française.

La politique agricole commune (PAC), malgré les crises et les critiques, a été un instrument important du développement rural. L'accord de Luxembourg, conclu en 2003 entre les ministres de l'Agriculture de l'Union européenne, a fixé de nouvelles règles : la plus grande partie des aides aux agriculteurs sera désormais versée indépendamment des volumes de production et les nouveaux « paiements uniques par exploitation » dépendront du respect des normes en matière d'environnement, de sécurité alimentaire et de bien-être des animaux.

1. Plantes utilisées pour la production d'huile (tournesol, colza...).

▶ Le Salon de l'agriculture

Chaque année, en février, a lieu à Paris le Salon de l'agriculture : avec ses 1 000 exposants venus de trente pays, ses 3 000 animaux présentés[2] et toutes les animations variées qu'il offre, ce Salon n'est pas seulement apprécié du public français, mais est véritablement un événement de dimension internationale. On s'y informe sur les métiers de l'agriculture, les méthodes de culture et d'élevage, on y admire les plus beaux animaux d'élevage et surtout on peut y déguster les meilleurs produits du terroir. Les énergies renouvelables (bois, biomasse, biocarburants) y ont aussi leur place.

2. Chiffres du Salon 2008.

José Bové, le porte-parole de la Confédération paysanne[2], se bat contre la mondialisation et la culture des OGM.

2. Deuxième syndicat agricole français, après la FNSEA (Fédération nationale des syndicats d'exploitants agricoles).

LA FRANCE, PREMIER PRODUCTEUR DE BOVINS DE L'UNION EUROPÉENNE À 25

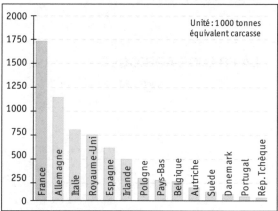

Source : Office de l'élevage d'après Eurostat/FAO 2006.

RÉPARTITION DU TERRITOIRE EN 2004

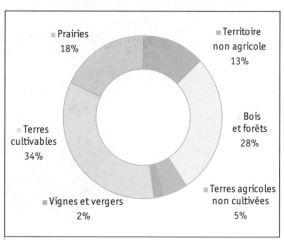

La politique agricole commune s'est traduite en France par un mouvement de concentration et de mécanisation des exploitations.

Source : Agreste.

▶ Les OGM

Un organisme génétiquement modifié (OGM) est un organisme (animal, végétal, bactérie) dont on a modifié le matériel génétique (ensemble de gènes) par une technique nouvelle, pour lui donner une caractéristique nouvelle (par exemple être plus résistant aux maladies). En France, comme dans la majorité des États membres de l'Union européenne, la culture de plantes génétiquement modifiées est très peu développée, très réglementée et se fait essentiellement dans le cadre de la recherche. La France applique en effet aux OGM « le principe de précaution », c'est-à-dire qu'avant d'autoriser la commercialisation d'un produit, on fait évaluer les risques éventuels pour la santé et l'environnement par des scientifiques compétents.

ÉCOUTEZ ET RÉPONDEZ

a. Pourquoi est-ce que Jules téléphone à Fleur ?

b. Comment va Fleur ?

c. Que fait l'oncle de Jules ?

d. Que veut faire Jules pendant le week-end ?

e. Comment se termine la conversation téléphonique ?

FAITES LE POINT

1 Observez

a. Regardez la carte de l'agriculture : où est-ce qu'on cultive le blé ? la vigne ?

b. Où se situent les régions d'élevage ?

c. Regardez la répartition du territoire : est-ce que les vignes occupent une grande partie du territoire français ? Est-ce qu'il y a beaucoup de forêts en France ?

d. Regardez la production de viande de bœuf en Europe : que notez-vous ?

2 Barrez les réponses fausses

a. La France est le 1er/2e/3e producteur agricole de l'Union européenne.

b. Depuis ces 25 dernières années, l'agriculture française est plus/moins performante.

c. Beaucoup de petites exploitations/grandes exploitations ont disparu.

d. Les élevages laitiers ont augmenté/diminué.

e. Il y a plus/moins/autant d'agriculteurs qu'avant.

3 Répondez aux questions

a. Qu'est-ce que la PAC ?

b. Que fait la PAC ?

c. Pourquoi est-ce qu'il y a beaucoup de cultures variées en France ?

d. Qu'est-ce qu'un OGM ?

e. Est-ce qu'il y a beaucoup de cultures OGM en France ?

f. Quel principe applique la France à l'égard des OGM ?

g. Est-ce que la part de l'agriculture biologique est importante en France ?

h. Quels agriculteurs vont recevoir l'aide de la PAC ?

4 Donnez votre avis

a. Est-ce que vous aimez la campagne et est-ce que vous y allez souvent ?

b. Est-ce que vous pensez que les agriculteurs et les éleveurs jouent un rôle important ? Pourquoi ?

c. Est-ce que vous mangez beaucoup de viande ?

d. Est-ce que vous mangez bio ?

e. Est-ce qu'on produit du vin dans votre pays ? Si oui, dans quelle(s) région(s) ?

f. Que pensez-vous des OGM ? Est-ce qu'on en cultive dans votre pays ?

g. Est-ce qu'on pratique beaucoup l'agriculture biologique dans votre pays ?

STRATÉGIE COMMERCIALE

Dans une salle de réunion.

Monsieur Legrand – Chers partenaires, en tant que directeur des ventes, j'aimerais maintenant vous parler des résultats des trois derniers mois. Ce trimestre, nous avons encore gagné des parts de marché, et ceci dans le contexte très concurrentiel de la distribution que vous connaissez. C'est évidemment grâce à notre politique cohérente et très déterminée sur les prix que nous enregistrons de tels résultats. Nos ventes en Espagne montrent une progression de 13 % dans le secteur alimentaire et l'électronique grand public. Je passe à présent la parole à monsieur Fort, directeur du développement, qui va vous parler de nos récentes implantations au Brésil et en Pologne.

Monsieur Fort – Oui, comme vous le savez, nous avons ouvert cinq nouveaux hypermarchés dans ces pays et les résultats sont déjà très satisfaisants pour une première année. Ils devraient se consolider dans les six mois à venir. Permettez-moi d'ajouter que notre groupe s'engage avec force pour l'environnement, en préservant les ressources naturelles, en réduisant notre consommation énergétique et en sensibilisant nos clients à l'importance du développement durable.

Monsieur Legrand – Notre objectif pour l'avenir reste toujours le même : accélérer encore l'expansion du groupe sur les trois continents où il est déjà présent : l'Europe, l'Amérique latine et l'Asie. Nous prévoyons l'ouverture de sept nouveaux hypermarchés. Être toujours à l'écoute des besoins de nos clients, créer de nouveaux produits, de nouveaux concepts de magasins : voilà notre force !

LA FRANCE INDUSTRIELLE

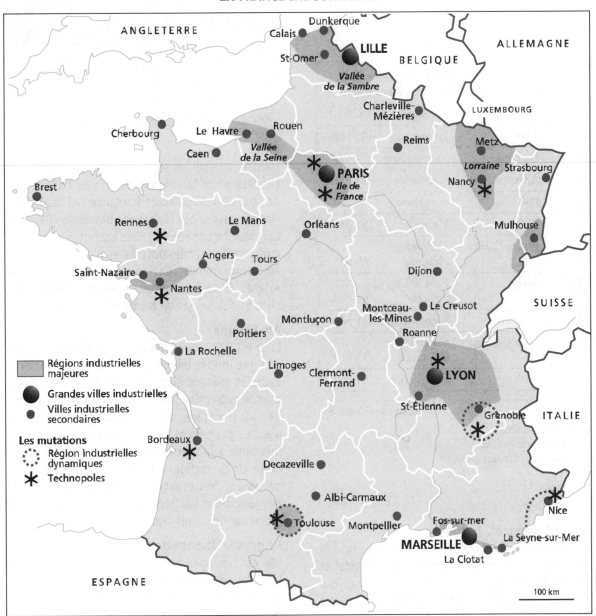

► **Une industrie en pleine mutation**

Certes, la France reste encore la quatrième puissance industrielle du monde après les États-Unis, le Japon et l'Allemagne. Cinq de ses plus grands groupes industriels nationaux (Total, PSA-Peugeot-Citroën, EDF, Renault et Saint-Gobain) font partie des deux cents premiers groupes industriels mondiaux et la France est particulièrement performante dans le domaine des transports (TGV, métro, avions...). Mais ces trente dernières années, l'industrie française a profondément évolué : pour accroître la productivité, certains secteurs ont été automatisés, en particulier ceux de la sidérurgie et l'automobile, et les effectifs ont été réduits : le nombre des ouvriers, qui représentait 40 % de la population active dans les années 1960, est aujourd'hui de 22 %[1]. D'autres secteurs, comme le textile et les mines (concentrés dans les régions du nord et de l'est de la France) ont été aussi restructurés. La carte des zones industrielles s'est ainsi rééquilibrée. De plus, la mondialisation affecte toutes les grandes entreprises françaises qui réalisent la moitié de leur chiffre d'affaires à l'étranger, exportent plus de la moitié de leur production (automobile, chimie, aéronautique, etc.), mais aussi délocalisent une partie de leur production vers des pays où la main-d'œuvre est moins chère. La France reste cependant un pays attractif pour les investissements étrangers grâce à sa main-d'œuvre qualifiée et ses infrastructures de transports de haut niveau.

1. Source : conférence de Jacques Scheibling, 5 novembre 2003, IUFM de Rouen-Mont-Saint-Aignan.

Rang	Sociétés	Secteurs	CA
	Classement des entreprises françaises selon le chiffre d'affaires en 2006 (en millions d'euros)		
1	Total	Pétrole	143 168
2	Carrefour	Distribution	74 497
3	AXA	Assurances	71 671
4	PSA[2]	Automobiles	56 267
5	EDF[3]	Électricité	51 051
6	France Telecom	Télécommunications	49 038
7	Suez	Eaux, BTP[4], services	41 488
8	Renault	Automobiles	41 388
9	Saint-Gobain	Matériaux, emballages	35 110
10	Auchan	Distribution	30 350

D'après wikipedia. org

2. Peugeot-Citroën.
3. Électricité de France.
4. Bâtiments et travaux publics.

► **Quelques grandes réussites de l'industrie française**

Renault, Peugeot, Citroën

Ces noms vous sont familiers ? Savez-vous qu'à la fin du XIXᵉ siècle, en 1899 précisément, Marcel et Ferdinand Renault, deux frères, ont fondé ce qui allait devenir un des premiers groupes industriels français. Quatre ans plus tôt, Armand Peugeot avait fondé son entreprise. Le quatrième grand pionnier de l'industrie automobile française, André Citroën, ouvrait sa première usine en 1919. Ces trois grandes marques continuent à s'imposer sur le marché des transports depuis presque un siècle.

Michelin

Depuis cent quarante ans, Michelin fournit des pneus à l'industrie automobile. Au cours des années, son activité s'est diversifiée avec la publication de cartes routières et du premier guide gastronomique. Son fameux Bibendum, gros bonhomme sympathique, représente le groupe dans plus de cent soixante-dix pays dans le monde.

Le Concorde est mort ! Vive l'A380, le plus gros avion civil jamais construit qui peut transporter 555 passagers et consomme moins que son concurrent Boeing. Grâce à son autonomie de 15 000 kilomètres, il peut faire des vols sans escale vers l'Asie et l'Amérique du Sud.

EADS

Leader mondial des secteurs de l'aéronautique, de l'espace et de la défense, le groupe EADS est né de la fusion de sociétés française (Aérospatiale-Matra), espagnole (Casa) et allemande (Daimler-Chrysler Aerospace AG). Ses activités vont de la construction d'hélicoptères et d'avions (Airbus) aux programmes spatiaux européens (la fusée Ariane). EADS fabrique aussi des systèmes de missiles et des avions de transport militaire.

Air Liquide

Créé en 1902, Air Liquide est le leader mondial des gaz industriels et médicaux et des services associés, présent dans soixante-douze pays. Cette grande entreprise française produit des gaz issus de l'air (oxygène, azote, argon, gaz rares...) et d'autres gaz comme l'hydrogène. Le groupe contribue ainsi à la fabrication de nombreux produits de la vie quotidienne : bulles dans les boissons gazeuses, conservation des aliments emballés, oxygène pour les hôpitaux, gaz ultra purs pour fabriquer des semi-conducteurs, etc.

La grande distribution

Elle est née dans les années 1960, avec l'apparition des supermarchés et hypermarchés Auchan et Carrefour. Carrefour est devenu le numéro un européen et le deuxième distributeur mondial. Il est aujourd'hui présent dans trente pays, sur trois continents : l'Europe, l'Amérique (latine) et l'Asie.

► **Le Salon de l'automobile**

Depuis 1898, date de la première exposition internationale d'automobiles sur la terrasse du jardin des Tuileries, Paris accueille les amateurs de belles voitures pour ce qu'on appelle maintenant « le Mondial de l'automobile ». Le premier jeudi d'octobre, tous les deux ans (en alternance avec Francfort), y sont présentés les nouveaux modèles de voitures françaises ou étrangères. Qu'on soit conducteur du dimanche ou fou du volant, c'est un spectacle à ne pas manquer.

ÉCOUTEZ ET RÉPONDEZ

a. Qui sont ces deux hommes ?

b. Dans quelle industrie est-ce qu'ils travaillent ?

c. Est-ce que les résultats de leur entreprise sont bons ?

d. Sur quels continents est implantée leur entreprise ?

e. Quels sont leurs objectifs pour l'avenir ?

FAITES LE POINT

1 Observez

a. Regardez la carte de la concentration de l'emploi industriel en France : Quelles sont les deux régions où se concentrent les emplois industriels ? Où sont les grandes technopoles ?

b. Regardez le tableau des plus grandes entreprises françaises. Dans quel secteur travaille l'entreprise française qui a le plus important chiffre d'affaires ?

c. Citez deux marques de voitures françaises et deux marques de magasins français de grande distribution.

2 Choisissez l'affirmation exacte

a. ☐ 1. En 2003, la France se plaçait parmi les 5 premières puissances industrielles du monde.
☐ 2. La France est la 3e puissance industrielle du monde.

b. ☐ 1. Depuis 30 ans, l'industrie française s'est diversifiée.
☐ 2. Depuis 30 ans, l'industrie française s'est automatisée.

c. ☐ 1. L'industrie française est particulièrement performante dans le textile.
☐ 2. L'industrie française est très performante dans le domaine des transports.

d. ☐ 1. La France est un pays intéressant pour sa main-d'œuvre bon marché.
☐ 2. La France est un pays intéressant pour sa main-d'œuvre qualifiée.

3 Devinez

a. Cette exposition internationale présente chaque année les nouveaux modèles de voitures françaises ou étrangères : le M _____ de l'automobile.

b. On voit beaucoup ses supermarchés en Amérique du Sud : C _____ .

c. Ce qu'il vendent ne se voit pas : A _____ L _____ .

d. Ils étaient deux frères. Ils ont fondé un des grands groupes de l'industrie automobile française : R _____ .

e. Il fabrique des avions, des hélicoptères, des fusées : E _____ .

f. Ce groupe vend des pneus depuis plus d'un siècle : M _____ .

4 Donnez votre avis

a. Relisez la liste des grandes entreprises françaises. Lesquelles connaissiez-vous déjà ?

b. Si vous deviez acheter une voiture, achèteriez-vous une marque française ? Si oui, laquelle ? si non, pourquoi ?

c. Que pensez-vous de l'avion A380 ?

AU SALON DE THÉ

Deux femmes élégantes, assez snobs, dans un salon de thé du XVIᵉ arrondissement à Paris.

Brigitte – Bonjour ma chérie. Comme tu es ravissante !

Isabelle – Je suis morte de fatigue. J'ai fait des courses toute la journée.

Brigitte – Assieds-toi et détends-toi, on a tout notre temps. Dis-moi, d'où vient ce petit tailleur adorable ?

Isabelle – Je suis passée rue Cambon, la semaine dernière et j'ai craqué. Une petite folie ! Tu as vu la nouvelle collection ? Une merveille !

Brigitte – C'est un très bon achat. Chanel, c'est classique et indémodable. En tout cas, il te va très bien.

Isabelle – Merci !

Brigitte – À propos de collection, j'ai une carte d'invitation pour deux personnes pour le défilé Galliano[1]. Tu viens avec moi ? J'adore Galliano. C'est tellement original, créatif ! J'adore !

Isabelle – Oui, moi aussi. C'est quel jour, ce défilé ?

Brigitte – Jeudi prochain, dans l'après-midi, à 15 heures.

Isabelle – Attends, je vérifie seulement sur mon agenda parce que je crois que j'ai rendez-vous chez le coiffeur…

(Isabelle prend son agenda dans son sac et vérifie.)

Isabelle – Je suis libre jeudi après-midi. Le coiffeur, c'est le matin.

Brigitte – Parfait.

Isabelle – Tu ne sais pas où je pourrais trouver un petit cadeau pour ma belle-mère ?

Brigitte – Quel genre de cadeau ? un parfum ? un foulard ?

Isabelle – Je lui en ai déjà offert.

Brigitte – Elle est gourmande ?

Isabelle – Très gourmande.

Brigitte – Eh bien, va chez Fauchon[2], place de la Madeleine. Il y a un choix merveilleux de boîtes de chocolats ou d'autres douceurs.

Isabelle – Un lieu très dangereux, parce que moi aussi je suis très gourmande et si je commence, je ne sais pas m'arrêter et je ne pourrai plus entrer dans mon tailleur…

Brigitte – Tu es trop raisonnable, Isabelle. Rappelle-toi… on ne vit qu'une fois !

---

1. Styliste chez Dior.
2. Épicerie de luxe.

INFORMATIONS

► Paris, capitale de l'élégance

Même si à New York, Londres, Milan ou Tokyo, on trouve beaucoup de créateurs talentueux, Paris reste la capitale de la mode. C'est à Paris que les professionnels du monde entier viennent voir les présentations des collections. Ainsi, 800 acheteurs et 300 photographes internationaux ont assisté aux défilés de prêt-à-porter[1] d'octobre 2004 à Paris qui présentaient la production de 110 créateurs. La haute couture[1] est réservée à une minorité de clientes capables de s'offrir des modèles exclusifs, sur mesure et hors de prix. Mais à travers les défilés qui sont de vrais spectacles, elle fait encore rêver et montre la créativité et l'audace des grandes «maisons»: Dior, Chanel, Yves Saint Laurent... qui peuvent continuer à exister grâce à la vente de leurs parfums, de leurs accessoires et de leurs collections de prêt-à-porter. Ces grandes marques, malgré la concurrence des fabrications étrangères, restent synonymes d'une qualité et d'un savoir-faire exceptionnels.

1. Les modèles de prêt-à-porter sont fabriqués industriellement en série. Les modèles de haute couture sont des modèles uniques, demandant beaucoup de travail à la main.

« La mode est dans l'air, c'est le vent qui l'apporte, on la pressent, on la respire, elle est au ciel et sur le macadam, elle tient aux idées, aux mœurs, aux événements. »

COCO CHANEL

CLASSEMENT DES MARQUES
QUI SYMBOLISENT LE LUXE
ET QUI FONT RÊVER

1. Dior (mode, parfums et cosmétiques[2])

2. Chanel (mode, parfums et cosmétiques)

3. Luis Vuitton (maroquinerie[3])

4. Yves Saint Laurent
   (mode, parfums et cosmétiques)

5. Cartier (montres, joaillerie[4])

6. Hermès (mode, parfums, sacs)

Source : sondage CSA/*L'Expansion*, novembre 2006.

2. Les cosmétiques sont les produits de maquillage ou de soins esthétiques.

3. Sacs et ceintures en cuir, particulièrement.

4. Bijoux.

►Les Français et le luxe

Une enquête pour le magazine économique *L'Expansion*[5] a montré que les trois quarts des Français interrogés pensaient que les grandes marques de luxe étaient des symboles de la France et les meilleurs ambassadeurs de celle-ci à l'étranger. L'industrie du luxe est, en effet, l'une des plus belles réussites économiques de la France. Pour certains, ce goût du luxe date du règne de Louis XIV, le Roi-Soleil, qui savait s'entourer des meilleurs artistes et artisans. Au cours des siècles suivants, les « savoir-faire » et la recherche de la qualité se sont transmis de génération en génération. Au XIXe siècle, des artisans comme Thierry Hermès, Louis Vuitton ou Louis-Ferdinand Cartier ont créé leurs propres maisons à Paris.

Plus tard, au XXe siècle, des créateurs comme Coco Chanel, Christian Dior ou Jeanne Lanvin ont contribué au prestige de Paris. Aujourd'hui, le leader mondial du luxe, le grand groupe LVMH domine le marché : il comprend une soixantaine de marques prestigieuses, telles que Guerlain, Chaumet, Givenchy, Kenzo, etc. et, évidemment, les deux grandes marques à l'origine du nom de l'entreprise : Louis Vuitton (la maroquinerie) et Moët-Hennessy (les champagnes). Les trois quarts des Français pensent cependant que les prix affichés par ces marques sont exagérés et qu'ils ne peuvent pas se payer ces produits... mais 20 % sont prêts à acheter de la contrefaçon[6].

5. Décembre 2006. 6. Les copies non autorisées des modèles.

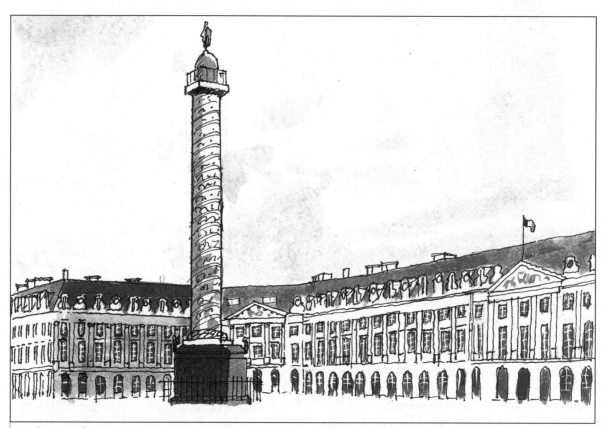

La place Vendôme à Paris. Autour de cette place se concentrent les plus grands bijoutiers du monde, dont le plus connu est Cartier. Dans la rue du Faubourg-Saint-Honoré et l'avenue Montaigne, on trouve beaucoup de boutiques de luxe.

ÉCOUTEZ ET RÉPONDEZ

a. Quelle est la relation entre ces deux femmes ?

b. Où sont-elles ?

c. Pourquoi est-ce qu'une des deux femmes fait un compliment à l'autre ?

d. Quelle invitation lance une des deux femmes ?

e. Que cherche l'autre femme ?

FAITES LE POINT

1 Observez

a. Regardez le classement des marques qui symbolisent le luxe et le dessin.
Quelle(s) marque(s) connaissez-vous ?

b. Est-ce vous avez vu des publicités pour ces marques dans votre pays ?
dans des magasins ? dans des magazines ?

c. Quelle est la marque la plus prestigieuse pour vous ?

d. Lisez la citation de Coco Chanel. Pouvez-vous la résumer en une seule phrase ?

2 Répondez

a. Quelle est la différence entre la haute couture et le prêt-à-porter ?

b. Qu'est-ce qu'un « défilé » de mode ?

c. Qui achète des modèles de haute couture ?

d. Est-ce que les grands couturiers vendent seulement des vêtements ?

e. Citez trois grandes marques de luxe.

f. Qu'est-ce que la « contrefaçon » ?

g. Où est-ce qu'une femme riche, qui aime les grandes marques françaises, peut aller faire ses courses ?

3 Choisissez les réponses qui, d'après l'enquête de *L'Expansion*, représentent l'attitude de la majorité des Français vis-à-vis du luxe

a. « Les prix des articles de luxe sont justifiés parce que le coût de la fabrication est élevé. »

b. « C'est exagéré de payer autant pour ces articles, simplement parce qu'ils ont une marque. »

c. « Les grands créateurs représentent bien la France à l'étranger. »

d. « Ces grandes marques donnent une idée fausse de la France. »

e. « Quand on ne peut pas s'offrir l'original, on peut s'acheter une copie. »

4 Donnez votre avis

a. Est-ce que vous êtes très influencé(e) par la mode ?

b. Est-ce que vous dépensez beaucoup d'argent pour vous habiller ? vous maquiller ?

c. Est-ce que le luxe pour vous est quelque chose de merveilleux ? de choquant ?
ou est-ce que le luxe vous laisse indifférent(e) ?

d. Est-ce que vous avez déjà été attiré(e) par un article d'une grande marque (parfum, vêtement, sac, etc.) et l'avez-vous acheté ? Racontez.

e. Est-ce que vous pensez que la contrefaçon est quelque chose de normal ? de scandaleux ?

f. Est-ce que vous êtes prêt(e) à vous acheter une copie illégale d'un article de luxe ?

UN RESTAURANT GASTRONOMIQUE

Deux amies dans un appartement à Montpellier.

Émilie – Dorothée ! enfin ! Bonjour ! Tu as trouvé facilement une place pour te garer ?

Dorothée – Facilement ? Tu plaisantes, Émilie ! C'est horriblement difficile de se garer dans ton quartier !

Émilie – Je sais. Assieds-toi. Tu veux boire quelque chose ?

Dorothée – Juste un grand verre d'eau.

Émilie – Je t'apporte ça tout de suite.

Dorothée – C'est joli chez toi. J'aime bien la cuisine à l'américaine[1] ouverte sur la grande pièce.

Émilie – Oui, j'ai toujours détesté les cuisines fermées. Comme en plus, je ne suis pas un cordon bleu[2], quand je cuisine, j'aime bien entendre les conversations et la musique. En fait, je n'aime pas cuisiner toute seule.

Dorothée – Je te comprends, moi non plus. À propos de cuisine, tu sais où Théo m'a emmenée l'autre soir pour mon anniversaire ?

Émilie – Chez Janou ?

Dorothée – Non, au « Jardin des sens ».

Émilie – Oh là là ! Mais c'est super chic, ça ! Dis donc, il ne se moque pas de toi !

Dorothée – Je dois dire que c'était une expérience culinaire unique. Non seulement c'est délicieux, mais chaque plat est une œuvre d'art. C'est beau à voir ! Tu ne peux pas t'imaginer. Et pourtant, on va souvent au restaurant, mais là, c'est vraiment autre chose ! C'est de la « haute cuisine » ! Le service, la décoration, tout est vraiment parfait.

Émilie – Comment s'appelle le chef ?

Dorothée – Ce sont deux chefs, deux frères, Jacques et Laurent Pourcel. Ils ont obtenu trois étoiles au guide Michelin[3]. Je t'assure que leur cuisine est exceptionnelle !

Émilie – L'addition aussi, j'imagine !

Dorothée – Ça, je n'ai pas regardé. Mais c'est bien de s'offrir une petite folie de temps en temps, tu ne trouves pas ?

Émilie – Bien sûr, ça fait des souvenirs.

---

1. *Une cuisine « à l'américaine » :* une cuisine qui s'ouvre sur la salle de séjour.
2. Une bonne cuisinière.
3. Un guide gastronomique.

INFORMATIONS

➤ La gastronomie française

L'extraordinaire variété des paysages de France se retrouve dans la cuisine française : au Sud-Est, la cuisine méditerranéenne, avec sa ratatouille[1] et sa soupe de poissons ; à l'Est, une cuisine chaleureuse avec sa choucroute[2] et ses saucisses ; à l'Ouest, la Bretagne avec ses crêpes et ses fruits de mer, la Normandie avec sa crème fraîche et ses pommes ; au Sud-Ouest, une cuisine riche et goûteuse, avec ses foies gras, ses magrets de canard. Un tour de France trop rapide pour vraiment donner une idée de la richesse des traditions culinaires. Il vaut mieux aller goûter sur place. Et n'oublions pas deux spécialités bien françaises : les escargots (de Bourgogne) et les grenouilles – un plat de plus en plus rare parce que, depuis 1980, la pêche et l'élevage des grenouilles sont interdits en France. Les grands chefs font venir les grenouilles d'Asie !

Les cuisines créoles et réunionnaises apportent une note d'exotisme à la gastronomie française. Aujourd'hui, les grands chefs s'inspirent aussi des cuisines du monde entier : ils utilisent des épices venues d'Afrique ou d'Asie : curcuma, curry, gingembre, citronnelle, etc. Les Français aiment manger. Ils aiment aussi cuisiner. Des centaines de livres de cuisine sont publiés chaque année. À Paris, une librairie entière est consacrée à la cuisine[3].

1. Mélange de légumes méditerranéens cuits à l'huile d'olive.
2. Plat préparé avec des choux macérés avant la cuisson.
3. La Librairie gourmande.

LA FRANCE ET SES FROMAGES

100 km

Goûtez un fromage différent chaque jour, il vous faudra plus d'une année pour connaître tous les fromages français : fromages au lait de vache, de brebis ou de chèvre, fromages à pâte cuite ou à pâte crue. Tous s'accompagnent de pain et se dégustent avec un verre de vin blanc, rouge, rosé, ou même jaune[4]. Tout l'art est de savoir marier les goûts.

4. Le vin jaune est un vin blanc sec du Jura (montagnes près de la Suisse).

► **Le guide Michelin**

C'est le plus célèbre des guides touristiques et gastronomiques français[5] : vert pour tout ce qui est culturel et historique, rouge pour tout ce qui est pratique (hôtels, restaurants). Il classe les hôtels pour la qualité de leurs services et juge surtout les restaurants.

Obtenir une étoile dans ce guide, c'est déjà être reconnu comme un grand chef, deux étoiles sont une très haute récompense, trois étoiles marquent la consécration suprême.

5. Le guide *Gault et Millau* est un autre guide gastronomique très connu.

► **Les grands chefs**

La tradition des grands chefs remonte loin dans l'histoire de France avec ses légendes comme celle de Vatel, le cuisinier du roi Louis XIV[6]. En 1671, il a été chargé d'organiser une fête en l'honneur du roi au château de Chantilly[7]. La «marée» (les fruits de mer et les poissons) n'arrivait pas. Vatel, devant l'impossibilité de pouvoir présenter au roi un dîner parfait, n'a pas pu survivre à un tel déshonneur.

Aujourd'hui, les trois très grands chefs les plus célèbres sont Bernard Loiseau, Paul Bocuse et Joël Robuchon. Mais d'autres sont aussi réputés pour l'excellence et la créativité de leur cuisine : Michel Troisgros, Alain Ducasse, Michel Guérard, Marc Veyrat. Ce sont les artistes de l'art culinaire.

6. Certains historiens pensent qu'il était maître d'hôtel.
7. C'est là que la célèbre crème «Chantilly» a été inventée.

Les toqués[8] de la cuisine.

8. Le chapeau du chef s'appelle «une toque». «Être toqué», en langage familier, signifie aussi «un peu fou», «bizarre».

CRITÈRES DE CHOIX D'UN RESTAURANT

Question : *D'une façon générale, quand vous allez au restaurant pour vous faire plaisir, quels sont parmi les critères suivants ceux que vous jugez très, assez, peu, ou pas du tout importants ?*
(Énumérer – Une seule réponse possible)

	Très important	Assez important	Important
La qualité des produits proposés	76	23	99 %
L'accueil	59	38	97 %
La qualité du service	47	48	96 %
Des prix abordables/raisonnables	40	52	93 %
Découvrir des saveurs nouvelles qui ont du goût	33	49	83 %
Le décor	16	58	74 %
Le prestige de l'établissement	8	30	38 %
La présence d'un chef reconnu	8	19	27 %

■ Très important   ■ Assez important   Base : Individus âgés de 20 ans et plus (935 = 100 %)

Source : IFOP/Hachette Livre, sondage «Gastronomie», janvier 2006.

Selon cette enquête, les Français préfèrent un décor simple et chaleureux à un décor très luxueux et préfèrent aussi un service décontracté, mais professionnel, à un service haut de gamme, très formel. Les personnes âgées de plus de 65 ans aiment mieux la cuisine traditionnelle alors que les plus jeunes veulent découvrir la cuisine inventive avec des saveurs nouvelles.

ÉCOUTEZ ET RÉPONDEZ

a. Quelle est la relation entre ces deux jeunes femmes ?

b. Qu'est-ce que Dorothée aime dans l'appartement d'Émilie ?

c. Est-ce qu'Émilie fait bien la cuisine ?

d. Où est allée Dorothée ?

e. Pourquoi est-ce que c'était une expérience extraordinaire ?

FAITES LE POINT

1 Observez

a. Lisez le sondage sur la gastronomie. Selon ce sondage, est-ce que la notoriété d'un chef est très importante dans le choix d'un restaurant ?

b. Toujours selon cette enquête, quel élément est déterminant dans le choix d'un restaurant ?

c. Regardez la carte des fromages. Connaissez-vous le nom de quelques-uns de ces fromages ?

2 Reliez les spécialités culinaires aux régions concernées

a. Les fruits de mer   1. Le Sud-Ouest

b. La crème fraîche   2. Le Sud-Est

c. Le foie gras   3. L'Ouest

d. La ratatouille   4. L'Est

e. La choucroute

3 Citez

a. Le nom d'un grand chef cuisinier.

b. Le nom d'un guide gastronomique.

c. Le nom d'un fromage français.

d. Le nom d'un vin très particulier du Jura.

e. Le nom de la région de France célèbre pour ses escargots.

4 Répondez

a. Quels laits sont utilisés pour fabriquer du fromage ?

b. Qu'est-ce qu'on mange et qu'est-ce qu'on boit avec le fromage ?

c. Pourquoi est-ce que les cuisses de grenouilles sont maintenant un plat rare ?

d. Qu'est-ce que le guide Michelin attribue aux restaurants pour les récompenser de leur qualité ?

5 Donnez votre avis

a. En vous aidant du sondage sur les choix d'un restaurant, expliquez ce qui est important pour vous quand vous allez au restaurant.

b. Est-ce que vous êtes prêt(e) à payer très cher pour un très bon restaurant ?

c. Est-ce que vous avez déjà goûté des fromages français ? Lesquels ? Est-ce que vous les avez aimés ?

d. Est-ce que vous aimez faire la cuisine ?

UN CHERCHEUR S'EXPATRIE

Deux amis discutent dans un café.

Édouard – Dis-moi Quentin, quand est-ce que tu partiras ?

Quentin – Peut-être dans un mois ou deux. J'attends la lettre de confirmation.

Édouard – Et tu travailleras dans un laboratoire de recherche au Canada ?

Quentin – Oui, c'est ça. Plus précisément, dans la division immunologie de l'université de Sherbrooke au Québec.

Édouard – Qu'est-ce que tu vas faire exactement ?

Quentin – Je vais travailler sur les techniques de biologie cellulaire et moléculaire.

Édouard – Tu sais que tu m'impressionnes ? Alors maintenant, tu es officiellement chercheur, un vrai chercheur !

Quentin – Mais oui, Édouard ! On dirait que tu découvres ça seulement maintenant. Tu sais bien que j'ai passé mon doctorat.

Édouard – Oui, c'est bête mais je n'arrive pas à me faire à cette idée : mon vieux copain Quentin avec qui je faisais les quatre cents coups[1] est devenu un respectable chercheur !… Et tu vas rester combien de temps au Québec ?

Quentin – Normalement, trois ans.

Édouard – Et pourquoi avoir choisi le Canada ?

Quentin – Pourquoi pas ? Je n'ai pas trouvé de proposition intéressante ici. Et puis j'avais envie d'avoir une expérience à l'étranger. Je suis tombé sur cette annonce, j'ai posé ma candidature et ça a marché. Dernier petit détail non négligeable : je peux vivre confortablement là-bas sur le salaire qu'ils m'offrent.

Édouard – En tous cas, chapeau[2] !

Quentin – Et toi ?

Édouard – Moi, je vais passer une audition pour un petit rôle dans un film de Denys Arcand[3].

Quentin – Non, je ne te crois pas !

Édouard – Je t'assure !

Quentin – Tu sais qu'il est canadien ?

Édouard – Évidemment ! Alors… rendez-vous au Canada !

1. *Faire les quatre cents coups :* mener une vie agitée, faire des bêtises.
2. (familier) Félicitations !
3. Réalisateur canadien (*Le Déclin de l'empire américain*).

INFORMATIONS

► Les Français et la science

Quand on leur demande quels sont les plus grands scientifiques du XXe siècle[1], les Français répondent : Albert Einstein, les époux Curie et Louis Pasteur[2]. Questionnés sur la connaissance scientifique, ils affirment qu'elle « pourra toujours progresser » et que la science continuera à apporter des explications à des questions complexes telles que le fonctionnement du cerveau, l'origine de l'univers ou l'origine de la vie. Cependant, son pouvoir n'est pas considéré illimité, surtout dans le domaine de la vie humaine.

Quand on demande aux Français quelles sont les inventions qui ont « le plus changé leur vie », ils répondent « les antibiotiques » (49 %), ce qui montre que la recherche médicale est pour eux l'élément central de la recherche scientifique. La santé est en effet au premier rang des attentes des Français, immédiatement suivie de l'environnement (menaces sur l'eau potable, pollution, réchauffement climatique, nouvelles énergies...). Globalement, les Français font confiance aux chercheurs. Les seuls signes de méfiance apparaissent dans les domaines des recherches génétiques, des modes de production alimentaire et des OGM[3].

Enfin, le métier de chercheur est valorisé : « aussi bien féminin que masculin », « attirant pour un jeune », « valorisant socialement » et « ouvert sur le monde et la société ».

1. Enquête réalisée par la SOFRES pour le ministère de la Recherche, novembre 2000.
2. Louis Pasteur (1822-1895), chimiste et physicien de formation, a été un pionnier de la microbiologie. L'invention du vaccin contre la rage lui a apporté sa célébrité. Il a fondé l'Institut qui porte son nom.
3. Organismes génétiquement modifiés (voir chapitre 12, p. 52).

SCIENTIFIQUES D'HIER ET D'AUJOURD'HUI

En 1903, Marie Curie, avec son mari Pierre Curie, a reçu le prix Nobel de physique pour la découverte de la radioactivité. Elle était la première femme à recevoir un prix Nobel, mais, contrairement à son mari, n'a pas été admise à l'Académie des sciences. Après la mort de celui-ci, elle a continué ses recherches et, en 1911, a reçu un deuxième prix Nobel, cette fois de chimie, pour ses travaux sur le radium.

Georges Charpak, ingénieur de l'École des mines de Paris (une « grande école »), entre au CNRS[4] en 1948 et travaille au Collège de France. En 1959, il rejoint un laboratoire européen de recherche (le CERN) à Genève. C'est là qu'il conçoit de nouveaux types de détecteurs de particules. Depuis 1980, il étudie l'application de ses appareils en biologie et en médecine. Il a reçu le prix Nobel de physique en 1992.

4. Voir page suivante.

LES MOYENS HUMAINS ET FINANCIERS DE LA RECHERCHE

	Moyenne UE	France	États-Unis	Japon
Diplômés en sciences et ingénierie (en % des 20-29 ans)	10,3	18,7	10,2	12,5
Population avec études supérieures (en % des 25-64 ans)	21,2	23,0	36,5	29,9
Recherche et développement publics (en % du PIB)	0,67	0,77	0,66	0,87
Recherche et développement privés (en % du PIB)	1,28	1,36	2,04	2,11

Source : European innovation Scoreboard, 2002. Commission européenne.

► Fuite ou circulation des cerveaux ?

Les mathématiques, l'optique, les lasers ainsi que la recherche agronomique et pharmaceutique sont quelques-uns des domaines d'excellence des laboratoires français. Mais la concurrence internationale est dure. Certes, la France forme beaucoup de scientifiques de qualité, mais ceux-ci, devant les difficultés à trouver un poste et à obtenir des salaires correspondant à leurs qualifications, sont tentés de s'expatrier. Beaucoup partent aux États-Unis, où ils trouvent de meilleures conditions de travail. Ainsi, le flux vers le continent nord-américain aurait augmenté ces dernières années. Alors, « fuite des cerveaux » ou plutôt « circulation des cerveaux » ? Certains affirment, en effet, que la plupart des chercheurs veulent faire seulement une partie de leur carrière à l'étranger et revenir en France et que, contrairement aux idées reçues, le taux d'expatriation des scientifiques français est le plus faible des pays européens.

► Le CNRS

Le Centre national de la recherche scientifique est un organisme public de recherche. Trente mille personnes y travaillent, non seulement des chercheurs, mais aussi des ingénieurs, des techniciens, des administratifs.

Implanté sur l'ensemble du territoire français, le CNRS exerce son activité dans tous les domaines de la connaissance : mathématiques, physique, technologies de l'information et de la communication, sciences de la planète, chimie, sciences humaines et sociales, sciences de l'environnement, etc.

Le CNRS, qui emploie ou accueille aussi des chercheurs étrangers, a signé des accords de coopération avec cinquante-cinq pays dans le monde et a des antennes dans plusieurs capitales étrangères[5]. La coopération scientifique est bien une réalité.

5. À Bonn, Bruxelles, Johannesburg, Moscou, Pékin, Santiago du Chili, Tokyo, Washington, Hanoï.

Les prix Nobel français les plus récents

Physiologie ou médecine
François Jacob, André Lwoff, Jacques Monod (1965)

Chimie
Yves Chauvin (2005)

Physique
Pierre-Gilles de Gennes (1991)
Georges Charpak (1992)
Claude Cohen-Tannoudji (1997)

ÉCOUTEZ ET RÉPONDEZ

a. Où est-ce que Quentin va partir ?

b. Qu'est-ce qu'il va faire là-bas ?

c. Quelle est la profession de Quentin ?

d. Combien de temps est-ce qu'il va rester dans ce pays ?

e. Pourquoi est-ce qu'il a choisi ce pays ?

f. Qu'est-ce qu'Édouard va faire ?

FAITES LE POINT

1 Observez

A. Regardez le tableau sur « les moyens humains et financiers de la recherche ». Lisez les affirmations ci-dessous et dites si, oui ou non, elles résument bien le tableau.

Si on compare le Japon, les États-Unis, l'Union européenne et la France...	OUI	NON
a. Les États-Unis ont le pourcentage le plus élevé d'étudiants dans l'enseignement supérieur.	☐	☐
b. Mais c'est en France qu'on trouve le moins de diplômés en sciences et ingénierie.	☐	☐
c. Le Japon se place après la France, pour le nombre d'étudiants dans l'enseignement supérieur.	☐	☐
d. En France, la recherche privée est presque deux fois plus importante que la recherche publique.	☐	☐
e. La France investit plus dans la recherche et dans l'enseignement supérieur que la moyenne des pays de l'Union européenne.	☐	☐

B. Connaissiez-vous les deux chercheurs français dont vous voyez la photo p. 67 ?

2 Barrez ce qui est faux

a. Marie Curie a reçu un/deux prix Nobel.

b. Georges Charpak a reçu le Nobel de physique/de chimie.

c. En matière de recherche scientifique, l'environnement/la santé est au premier rang des préoccupations des Français.

d. Les Français se méfient des recherches génétiques/des recherches en géologie.

3 Répondez

a. Que veut dire CNRS ?

b. Est-ce que ce centre est public ou privé ?

c. Est-ce qu'il a des laboratoires seulement en France ?

d. Est-ce que la profession de chercheur est respectée en France ?

e. Pourquoi est-ce que certains chercheurs français vont travailler à l'étranger ?

4 Donnez votre avis

a. Est-ce que vous vous intéressez à la science et aux découvertes scientifiques ? Si oui, dans quel(s) domaine(s) ?

b. Est-ce que vous aviez entendu parler de Louis Pasteur ?

c. Est-ce que la profession de chercheur est pour vous une profession prestigieuse ?

d. Est-ce que vous approuvez le fait que certains chercheurs veulent quitter leur pays et travailler dans des laboratoires étrangers ?

LE TRI SÉLECTIF

Deux amies dans une cuisine.

Élodie – Où est la poubelle ?

Sabine – Laquelle ? Ici, il n'y a pas une poubelle mais trois poubelles.

Élodie – Je veux juste jeter le pot de confiture qui est vide…

Sabine – Eh bien, tu le mets dans le sac plastique derrière la porte.

Élodie – Trois poubelles plus un sac plastique, mais pourquoi tu te compliques la vie ?

Sabine – Je ne me complique pas la vie, je fais le tri sélectif. Tu n'as jamais entendu parler du tri sélectif ? Les poubelles de différentes couleurs : jaune pour les papiers et les cartons, verte pour les plastiques, les boîtes de conserve et les déchets en général, blanche pour les verres[1]. Tu ne les as pas vues dans la cour de l'immeuble ?

Élodie – Non, je n'ai pas fait attention. Mais entre nous, tu crois vraiment que ça sert à quelque chose ?

Sabine – Évidemment. Il faut recycler au maximum. Il faut arrêter de gaspiller et de polluer. Ça m'étonne que tu ne comprennes pas ça. En tous cas, ça montre que les gens ne sont pas encore bien informés. Il faut vraiment que tout le monde prenne conscience que des gestes simples peuvent contribuer à réduire le gaspillage et à économiser l'énergie.

Élodie – Mais c'est surtout les grosses entreprises industrielles qui doivent utiliser des énergies renouvelables et non polluantes.

Sabine – Bien sûr. Jusqu'à présent, en France, comme on n'avait pas de pétrole, on a construit plein de centrales nucléaires. Ça nous a permis d'être indépendants et de produire de l'électricité à un prix intéressant. Mais ce n'est peut-être pas la solution idéale. Ça me fait un peu peur, le nucléaire, je trouve ça dangereux…

Élodie – Là, je suis tout à fait d'accord avec toi !

---

1. Ce système est différent selon les villes.

INFORMATIONS

➤ Pour ou contre le nucléaire ?

Dans les années 1970, pour assurer son indépendance énergétique, la France a choisi l'énergie nucléaire, malgré les protestations des écologistes. Elle compte aujourd'hui le plus grand nombre de centrales nucléaires de toute l'Europe : vingt sites fournissent 78 % de sa consommation d'électricité. Certes, à l'heure où le prix du pétrole ne cesse d'augmenter, le nucléaire permet d'être moins dépendant des importations de pétrole et de gaz. Il aide aussi à limiter le réchauffement climatique et permet d'avoir des prix de l'énergie plus stables.

Mais 56 % des Français considèrent que l'énergie nucléaire est un risque pour eux et pour leur famille, le risque le plus souvent cité étant le terrorisme. Ils croient que l'énergie nucléaire pourrait être facilement remplacée par des énergies renouvelables et des économies d'énergie.

Une majorité de Français souhaite que la proportion d'énergie nucléaire soit réduite.

D'après Eurobaromètre, février 2007.

➤ L'empreinte écologique

Pour nous nourrir, nous déplacer, nous loger, éliminer nos déchets, nous consommons des ressources naturelles. Ces ressources naturelles, c'est la Terre qui nous les fournit. D'une part, on estime qu'il y a six milliards de personnes sur notre planète. D'autre part, on calcule la surface de la Terre, après avoir enlevé les océans, les déserts, les glaciers, tous les endroits où la Terre n'est pas biologiquement productive. Pour connaître à quelle part de Terre chaque individu a droit, on divise cette surface par le nombre d'habitants et on obtient une surface équivalente à quatre terrains de football par personne – plus précisément, trois terrains de football disponibles par humain et un réservé pour les autres espèces vivantes. Théoriquement, « l'empreinte écologique » de chaque individu ne doit donc pas être supérieure à trois terrains de football. Mais on voit qu'en réalité, la moyenne mondiale est d'environ cinq terrains de football par personne. Ce qui signifie que notre manière de vivre nous fait consommer plus que ce que la Terre peut nous offrir.

Un Européen utilise dix terrains de football pour satisfaire ses besoins... des chiffres qui donnent à réfléchir.

➤ Le « Grenelle de l'environnement »

En octobre 2007, le gouvernement a organisé une concertation nationale sur le thème de l'environnement. Plusieurs mesures ont été adoptées (mais seront-elles appliquées ?), par exemple :
– dans le bâtiment : utiliser des matériaux non polluants, de basse consommation et développer les énergies renouvelables (par exemple, les ampoules électriques, les panneaux solaires...) ;
– dans les transports : choisir le train au lieu de la route (constructions de voies de chemins de fer), favoriser les véhicules les moins polluants, taxer les véhicules les plus polluants ;
– dans l'agriculture : tripler la part de l'agriculture biologique pour arriver à 6 % de la surface agricole utilisée en 2010. Réduction des pesticides et suspension des cultures OGM.

L'ÉNERGIE NUCLÉAIRE EN EUROPE
Part d'énergie nucléaire dans la production d'électricité en Europe (en 2004)

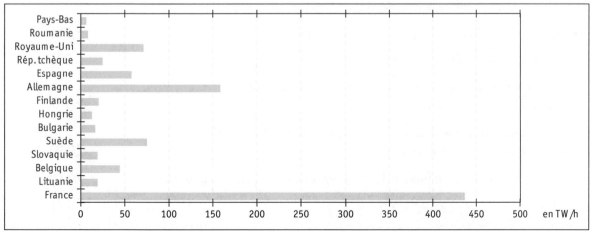

Source : IEA World Energy Outlook (Areva/T & D Markets P. KI.).

RÉPARTITION DE LA PRODUCTION D'ÉLECTRICITÉ D'ORIGINE RENOUVELABLE EN 2004 EN FRANCE

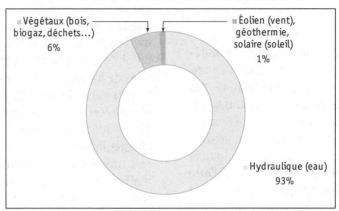

Végétaux (bois, biogaz, déchets...) 6%

Éolien (vent), géothermie, solaire (soleil) 1%

Hydraulique (eau) 93%

Source : Rapport gouvernemental, mars 2006.

LES FRANÇAIS ET L'ENVIRONNEMENT

LE DEGRÉ DE PRÉOCCUPATION EN MATIÈRE DE PROTECTION DE L'ENVIRONNEMENT

Question : Diriez-vous que vous êtes très, assez, peu ou pas du tout préoccupé par la protection de l'environnement ?

TOTAL Préoccupé	**91 %**
– Très préoccupé	46 %
– Assez préoccupé	45 %
TOTAL Pas préoccupé	**9 %**
– Peu préoccupé	8 %
– Pas du tout préoccupé	1 %
TOTAL	**100 %**

LA MESURE LA PLUS EFFICACE POUR LUTTER CONTRE LA DÉGRADATION DE L'ENVIRONNEMENT

Question : Parmi les mesures suivantes, quelle est celle qui vous semble la plus efficace pour lutter contre la dégradation de l'environnement ?

• Développer l'utilisation des énergies renouvelables	**32 %**
• Introduire l'éducation à l'environnement dans les programmes scolaires	**22 %**
• Développer les transports ferroviaires, maritimes et fluviaux pour limiter le transport routier	**20 %**
• Instaurer « un délit général de pollution » qui permette de poursuivre et sanctionner tous les pollueurs	**20 %**
• Renforcer le budget du ministère de l'Écologie et du Développement durable.	**6 %**
TOTAL	**100 %**

Source : sondage IFOP pour Acteurs publics, « Les Français et l'environnement », 26 octobre 2006.

ÉCOUTEZ ET RÉPONDEZ

a. Pourquoi est-ce qu'Élodie cherche une poubelle ?

b. Pourquoi est-ce que son amie Sabine a trois poubelles ?

c. Pourquoi est-ce que Sabine pense que tout le monde devrait faire comme elle ?

d. Quelle est l'attitude d'Élodie ?

e. Sur quel point est-ce que les deux amies sont d'accord ?

FAITES LE POINT

1 Observez

a. Regardez le graphique sur l'énergie nucléaire en Europe : que remarquez-vous ?

b. Regardez le graphique de la répartition de la production d'électricité d'origine renouvelable : quelle est l'énergie la plus utilisée ? la moins utilisée ?

c. Lisez le sondage sur la protection de l'environnement : quel est le sentiment des Français ? Est-ce que ce sentiment est très fort ?

d. D'après ce sondage, est-ce que la majorité des Français pensent qu'un renforcement du budget du ministère de l'Écologie pourrait être très efficace dans la lutte contre la dégradation de l'environnement ? Qu'est-ce qui est le plus important pour eux ?

2 Vrai ou faux ?

	V	F
a. 78 % de la consommation d'électricité viennent de l'énergie hydraulique.	☐	☐
b. La majorité des Français pensent que l'énergie nucléaire est un risque.	☐	☐
c. L'empreinte écologique représente la surface de terre dont a besoin un individu pour se nourrir, se déplacer, se loger, éliminer ses déchets.	☐	☐
d. Chaque individu devrait avoir une empreinte écologique d'une surface équivalente à 3 terrains de football.	☐	☐
e. Chaque Européen a une empreinte écologique d'une surface équivalente à 6 terrains de football.	☐	☐
f. En 2007, le gouvernement français a projeté de tripler la production de l'agriculture biologique d'ici 2010.	☐	☐

3 Résumez les avantages et les inconvénients de l'énergie nucléaire

Avantages	Inconvénients
....	....
....	....
....	....

4 Donnez votre avis

a. Est-ce que vous faites le « tri sélectif » dans votre pays ?

b. Est-ce que vous êtes préoccupé(e), comme les Français, par la protection de l'environnement ? Que faites-vous pour protéger l'environnement ?

c. Est-ce que vous avez des centrales nucléaires dans votre pays ? Que pensez-vous de l'énergie nucléaire ?

LE PORTABLE DU FUTUR

Dans un magasin de téléphonie.

Le vendeur – Bonjour, madame.

Une jeune femme – Bonjour.

Le vendeur – Je peux vous aider ?

La jeune femme – Oui, voilà. J'ai ce téléphone portable depuis trois ans mais maintenant, il ne marche plus très bien… enfin, il marche mais il se décharge très vite. Il faut que je recharge la batterie tous les jours et même quelquefois deux fois par jour !

Le vendeur – Eh oui ! votre portable est fatigué. Il faut le remplacer. Je vais vous montrer nos modèles : quel prix est-ce que vous voulez mettre ?

La jeune femme – Je ne sais pas.

Le vendeur – Nous avons des modèles à tous les prix : de un euro, avec abonnement bien sûr, à 300 euros.

La jeune femme – Qu'est-ce qu'il a de particulier, votre portable à 300 euros ?

Le vendeur – Eh bien, d'abord il est beau… et le design, c'est important, et puis il a beaucoup de fonctions : appareil photo, bien sûr, plus radio et vidéo. C'est aussi un baladeur MP3. Vous pouvez consulter des sites sur Internet, envoyer et recevoir des courriels. Vous pouvez gérer votre agenda, bref, c'est un outil de travail…

La jeune femme – On peut aussi téléphoner avec ?

Le vendeur – *(Petit rire.)* Oui, bien sûr !

La jeune femme – Et est-ce qu'on peut payer avec ?

Le vendeur – Vous voulez dire payer avec le portable ? l'utiliser comme une carte bancaire ?

La jeune femme – Oui.

Le vendeur – Euh… pas encore, mais ça viendra. Vous savez, comme dit ma grand-mère, « on n'arrête pas le progrès ».

INFORMATIONS

► Les technologies de l'information

Les Français rattrapent leur retard et montrent de plus en plus d'intérêt pour les nouvelles technologies appliquées à la communication : les offres «télévision, Internet, téléphone» ont beaucoup de succès. L'installation des fibres optiques s'accélère. On estime qu'en 2013, 50 % de la population sera reliée au haut débit.

D'autre part, la France est le pays d'Europe qui progresse le plus vite dans le «e-commerce» : les ventes en ligne ont augmenté de presque 37 % entre 2005 et 2006. Les Français perdent donc leur méfiance vis-à-vis des modes de paiement sur Internet.

En revanche, l'informatique n'a pas la place qu'elle mérite dans l'enseignement : les écoles sont bien équipées[1] mais les enseignants utiliseraient encore trop peu Internet dans leur cours, surtout dans le primaire... manque de formation ou désintérêt ? Cependant, plus on monte dans les classes, plus l'ordinateur est utilisé comme outil pédagogique.

1. En 2006, on estime que presque 100 % des établissements scolaires sont équipés d'ordinateurs.

► Une application des nouvelles technologies : la biométrie

La biométrie est l'ensemble des techniques informatiques qui permettent l'identification automatique d'une personne à partir de certains caractères physiques, comme l'empreinte digitale, les mesures de la main ou du visage, la rétine de l'œil, la voix, l'ADN[2]. En France, la technique la plus utilisée est l'empreinte digitale. Cependant toute installation d'un dispositif biométrique doit avoir l'accord de la «Commission nationale de l'informatique et des libertés» (la CNIL[3]). Cette commission est une autorité indépendante chargée de protéger les citoyens français contre les abus de l'utilisation de l'informatique. Elle veille à ce que les fichiers contenant des données personnelles ne soient pas utilisés de manière illégale.

2. L'acide désoxyribonucléique (qui transmet les caractères génétiques).
3. Prononcer «knil».

C'est un Français, Roland Moreno, qui a inventé la carte à puce en 1974. Succédant aux cartes à bande magnétique, ce type de carte (carte bancaire, carte Vitale...) offre un niveau de sécurité beaucoup plus élevé et permet de stocker des informations.

LES PRATIQUES LES PLUS RÉPANDUES SUR INTERNET

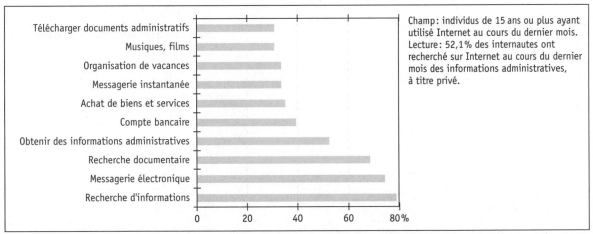

Champ : individus de 15 ans ou plus ayant utilisé Internet au cours du dernier mois.
Lecture : 52,1 % des internautes ont recherché sur Internet au cours du dernier mois des informations administratives, à titre privé.

Source : enquête «Technologies de l'information et de la communication», octobre 2005, in «Internet au quotidien : un Français sur quatre», INSEE Première n° 1076, mai 2006.

LES FRANÇAIS ET LES NOUVELLES TECHNOLOGIES

1re question : Selon vous, est-ce que dans vingt ans, on vivra mieux qu'aujourd'hui grâce aux nouvelles technologies ou moins bien qu'aujourd'hui ?

On vivra mieux qu'aujourd'hui grâce aux nouvelles technologies.	45
On vivra moins bien qu'aujourd'hui à cause des nouvelles technologies.	40
Sans opinion	15

2e question : Pour chacun des domaines suivants, dites-moi si les nouvelles technologies représentent à vos yeux un progrès :

	Oui (%)	Non (%)	Sans opinion (%)
Les soins et traitements médicaux	94	5	1
Les conditions de travail	67	29	4
Le respect de la vie privée	25	68	7
L'information, les télécommunications	87	12	1
Les relations humaines	39	66	5

3e question : Voici différentes phrases que nous avons recueillies. Pour chacune d'elles, voulez-vous me dire si vous êtes d'accord ou pas d'accord ?

Dans vingt ans…	D'accord (%)	Pas d'accord (%)	Sans opinion (%)
une majorité de la population travaillera à domicile avec Internet (télétravail).	59	36	5
l'enseignement aura lieu à distance.	36	57	7
les médecins opèreront régulièrement à distance.	53	41	6
les relations sociales entre les gens seront très faibles du fait des nouvelles technologies.	74	22	4
les femmes de 50 ans pourront continuer à faire des enfants.	43	51	6
dans le domaine agricole, les OGM se seront généralisés.	52	38	10

Source : sondage TNS-Sofres, novembre 2002.

ÉCOUTEZ ET RÉPONDEZ

a. Quel est le problème de cette jeune femme ?

b. Pourquoi est-ce qu'elle est entrée dans cette boutique ?

c. Que fait le vendeur ?

d. Quelle est l'attitude de la jeune femme vis-à-vis du vendeur ?

e. Pourquoi est-ce que le vendeur parle de sa grand-mère ?

FAITES LE POINT

❶ Observez

A. Regardez le sondage sur les Français et les nouvelles technologies, puis dites si, oui ou non, les affirmations suivantes résument l'opinion des Français :

	OUI	NON
a. La majorité des Français pensent que les nouvelles technologies aideront les gens à vivre mieux.	☐	☐
b. Le domaine dans lequel les nouvelles technologies apportent le plus de progrès est le domaine de l'information et des télécommunications.	☐	☐
c. Les nouvelles technologies contribuent beaucoup à améliorer les relations sociales.	☐	☐
d. La médecine fait et fera de grands progrès grâce aux nouvelles technologies.	☐	☐
e. Les nouvelles technologies ne mettent pas en danger le respect de la vie privée.	☐	☐
f. Les nouvelles technologies améliorent les conditions de travail.	☐	☐
g. Dans le futur, l'enseignement à distance sera généralisé.	☐	☐

B. Regardez le graphique sur les pratiques les plus répandues sur Internet : est-ce que vous êtes surpris(e) par ces résultats ? Et, si vous avez Internet, quelles sont les trois activités que vous pratiquez le plus ?

❷ Complétez avec les mots suivants

puce – données – Internet – digitales – informatiques – en ligne

a. Le télétravail permet de travailler chez soi grâce à _____.

b. La biométrie est l'ensemble des techniques _____ qui permettent l'identification automatique d'une personne à partir de certains caractères physiques, comme par exemple les empreintes _____.

c. En France, les cartes bancaires sont des cartes à _____.

d. Le « e-commerce » est le fait d'acheter et de vendre _____.

e. La « Commission nationale de l'informatique et des libertés » veille à la bonne utilisation des _____ personnelles collectées par les dispositifs biométriques.

❸ Donnez votre avis

a. Répondez personnellement aux questions du sondage p. 76. Est-ce que vous pensez que, dans vingt ans, l'enseignement se fera à distance ?

b. Est-ce que vous croyez que les nouvelles technologies améliorent les relations entre les gens ? Donnez un exemple.

c. En conclusion, dites si les nouvelles technologies représentent plutôt un progrès.

DISCUSSION PHILOSOPHIQUE

Clément et son père sont dans le salon. Le téléphone sonne.

Clément – Allo, salut Nicolas. Ça va ?... Ce soir ?... Chez qui ?... À quelle heure ?
Non, je peux pas venir… non, je t'assure, c'est pas possible, je dois bosser[1]…. Ouais[2], je sais,
mais c'est vraiment pas possible… D'accord ! On se rappelle demain, salut ! *(Il raccroche.)*
Tu as vu, papa, je refuse des invitations pour travailler, j'espère que tu as remarqué !

Le père – Qu'est-ce qui t'arrive ?

Clément – J'ai décidé de me concentrer sur la philo. C'est le plus grand coefficient[3] au bac,
alors, j'ai intérêt à avoir une bonne note.

Le père – Très bien ! Depuis quand est-ce que tu es dans ces bonnes dispositions ?

Clément – Depuis que j'ai découvert que j'avais un bon prof de philo. L'autre jour, on a eu un
débat sur la notion de liberté et franchement, c'était super. Il a réussi à nous faire tous participer
et je peux te dire qu'il y avait de l'ambiance.

Le père – Tu as de la chance parce que moi, je n'ai plus aucun souvenir de mes cours de
philosophie. Ça ne m'intéressait pas. Et maintenant, je regrette. Je me dis que je serais incapable
de faire une dissertation de philosophie aujourd'hui.

Clément – Comme dit mon prof, le meilleur enseignant, c'est celui qui est comme Socrate. Tu
te rappelles quand même qui était Socrate ?

Le père – Oui, quand même.

Clément – Socrate, philosophe grec qui, dans les rues d'Athènes, il y a presque vingt-cinq
siècles, discutait avec les gens, les provoquait et leur montrait que leurs certitudes ne résistaient
pas à la critique. Finalement, la philosophie, ça sert à ça : simplement à te faire réfléchir.

Le père – Eh bien, mon fils, tu m'impressionnes ! Bravo ! Qu'est-ce que c'est, le sujet de ta
dissertation ?

Clément – « Faut-il toujours dire la vérité ? »

1. (Familier) travailler.
2. (Familier) oui.
3. Nombre par lequel on multiplie les notes d'une épreuve d'examen : plus le nombre est élevé, plus la matière est importante.

INFORMATIONS

1. Panser/étriller un cheval : le brosser.

Le siècle des Lumières

C'est ainsi qu'on appelle le dix-huitième siècle en Europe et, en France, la période qui s'étend de la mort de Louis XIV (1715) à la Révolution (1789). C'est alors que philosophes, scientifiques et intellectuels européens rallument la lumière de la Connaissance et de la Raison, remettant en question l'ordre établi, prêchant la tolérance, au risque d'être arrêtés et emprisonnés. Débats esthétiques, querelles littéraires, critiques de la religion et réflexions politiques marquent cette époque. Un dictionnaire « moderne », l'*Encyclopédie*, est élaboré pour faire le point sur toutes les connaissances contemporaines et combattre les préjugés. Diderot est le principal rédacteur de cette œuvre gigantesque à laquelle des philosophes (d'Alembert, Voltaire, Montesquieu, Rousseau)... ou des scientifiques[2] collaborent pendant plus de vingt ans.

2. Par exemple le mathématicien Condorcet, l'économiste Turgot, le naturaliste Buffon…

► Quelques grands philosophes du passé

Michel de Montaigne (1533-1592)
Homme politique d'influence, Michel de Montaigne méprisait les honneurs et préférait la solitude de l'écriture. Très imprégné des philosophes antiques, il a suivi le conseil de Socrate : « Connais-toi toi-même ». Ses *Essais* sont une enquête philosophique sur la connaissance de soi et du monde.

Il a reformulé le « Je sais que je ne sais rien » de Socrate en « Que sais-je ? ». Il a insisté sur le fait que nos opinions et nos vérités changent facilement, qu'on ne doit pas formuler des jugements trop rapidement et qu'il faut toujours garder l'esprit critique.

Descartes (1596-1650)
Mathématicien et physicien, Descartes a voulu établir une méthode universelle d'accès à la connaissance. Dans son *Discours de la méthode* (1637), il place l'interprétation mathématique au cœur du savoir de l'univers matériel. Le principe élémentaire de toute connaissance est le *cogito* : « Je pense donc je suis. » Cette proposition simple permet de déduire d'autres propositions, simples aussi, comme par exemple le fait qu'une chose ne peut pas à la fois être et ne pas être. En utilisant le doute systématique comme méthode nécessaire pour établir des jugements clairs et vrais, le cartésianisme va bouleverser durablement l'histoire des idées.

Auguste Comte (1798-1857)
Selon lui, l'observation rationaliste scientifique était le seul moyen d'atteindre le savoir : tout pouvait s'expliquer selon des relations causales, selon un déterminisme mécaniste. Auguste Comte a lancé les premières bases de la sociologie. Il a développé une doctrine « positiviste » basée sur la croyance absolue en la science, vision très représentative de l'esprit du XIXe siècle. Cette philosophie, aujourd'hui très remise en cause, asso-

ciait indissociablement le développement de la connaissance scientifique à l'idée de progrès positif pour l'humanité.

► **Philosophes du xxᵉ siècle**

Jean-Paul Sartre (1905-1980)

Philosophe et écrivain, Jean-Paul Sartre a marqué le xxᵉ siècle par ses prises de positions politiques de gauche, mais surtout par le retentissement mondial du mouvement philosophique et littéraire qu'il a initié : l'existentialisme. Pour Sartre, l'homme est libre de choisir qui il est, il n'est prisonnier ni de son inconscient, ni de déterminismes sociaux. Il est responsable de ses actions qui le définissent, il est maître de son destin. Toutefois, cette liberté individuelle doit répondre à celle de l'Autre pour être sûr que tout homme est libre.

Michel Foucault (1926-1984)

Par l'étude des institutions disciplinaires (asiles psychiatriques, prisons, casernes), Michel Foucault s'est intéressé au concept de pouvoir. Dans *Surveiller et punir*, il analyse les mécanismes et les stratégies grâce auxquelles des relations de pouvoir se mettent en place. Dans *Les Mots et les Choses*, il montre la manière dont le discours scientifique est dépendant d'un moment de l'histoire, d'un milieu, d'un rapport de forces. Le savoir est à la fois contraint par des dispositifs de pouvoir, et conditionne aussi les relations de pouvoir d'une époque.

Claude Lévi-Strauss (né en 1908)

Anthropologue, ethnologue et philosophe, Claude Lévi-Strauss est un des grands penseurs du xxᵉ siècle. Pour lui, l'anthropologie doit se consacrer à la recherche des rapports unissant l'homme au monde qui l'entoure. L'anthropologue doit donc s'immerger dans la culture du peuple qu'il étudie, décrire la manière dont ces hommes parlent, rêvent, agissent, produisent pour voir comment se structurent localement les rapports observés entre les mythes, les techniques, les représentations de la parenté, et pour pouvoir ensuite formuler les propriétés générales de la vie sociale. Claude Lévi-Strauss a aussi dénoncé l'ethnocentrisme, cette «tendance, plus ou moins conscient, à privilégier les valeurs et les formes culturelles du groupe ethnique auquel on appartient[3]».

3. *Dictionnaire de l'Académie française*, 8ᵉ édition, 1932-1935.

QUELQUES CITATIONS

A. Chaque personne est un choix absolu de soi.

B. Il n'y a qu'une maxime absolue, c'est qu'il n'y a rien d'absolu.

C. Qui se connaît, connaît aussi les autres car chaque homme porte la forme entière de l'humaine condition.

D. Le monde a commencé sans l'homme et il s'achèvera sans lui.

E. Quoi d'étonnant si la prison ressemble aux usines, aux écoles, aux casernes, aux hopitaux, qui tous ressemblent aux prisons ?

F. Philosopher c'est douter.

AUTRES PHILOSOPHES CONTEMPORAINS

Simone de Beauvoir, Louis Althusser, André Comte-Sponville, Gilles Deleuze, Jacques Derrida, Bernard-Henri Lévy, Alain Finkielkraut...

► **L'enseignement de la philosophie en France**

La philosophie est une matière obligatoire pendant la dernière année du lycée, c'est-à-dire en classe de Terminale : huit heures de cours lui sont consacrées pour la section littéraire, de une heure à quatre heures pour les autres sections (technologique, scientifique, économique, etc.). Elle est aussi présente dans les épreuves de concours aux écoles de commerce ou aux écoles d'ingénieurs, associée à la culture générale ou au français. Elle est donc considérée comme une valeur éducative importante. L'objectif du cours de philosophie n'est pas seulement d'étudier les doctrines des grands penseurs, mais doit surtout donner aux étudiants l'occasion d'exercer leur capacité de jugement et de réflexion personnelle en « citoyens libres et éclairés[4] ».

4. Référence à l'esprit des Lumières (voir p. 79).

ÉCOUTEZ ET RÉPONDEZ

a. À votre avis, qui téléphone et pourquoi ?

b. Qu'est-ce que le jeune homme répond ?

c. Quelle décision est-ce que le jeune homme a prise ?

d. Quelle est la réaction de son père ?

e. Sur quel sujet porte la conversation entre le père et le fils ?

f. Est-ce que le père a une attitude moralisatrice ?

FAITES LE POINT

1 Observez

a. Lisez les résumés sur les différentes théories présentées, puis lisez les citations. Soulignez les mots ou groupes de mots qui vous semblent les plus importants dans chaque citation.

b. Trouvez l'auteur de chaque citation.

c. Dans les philosophes cités, desquels est-ce que vous aviez déjà entendu parler ?

2 Complétez avec les mots ci-dessous

déterminisme – connaissance – anthropologue – responsabilité – pouvoir – doute

a. Selon Montaigne, il ne faut accepter aucune _____ sans la critiquer.

b. Descartes pensait qu'il fallait utiliser le _____ systématique comme méthode pour établir des jugements clairs et vrais.

c. Auguste Comte croyait que tout pouvait s'expliquer selon un _____ mécaniste.

d. La _____ de l'homme et sa liberté sont au centre de l'œuvre de Jean-Paul Sartre.

e. Michel Foucault s'est intéressé aux relations entre le _____ et le savoir.

f. Claude Lévi-Strauss était _____ et philosophe.

3 Vrai ou faux ?

	V	F
a. Montaigne pensait qu'il était essentiel de se connaître soi-même.	☐	☐
b. Chez Descartes, les mathématiques avaient une place importante pour accéder à la connaissance.	☐	☐
c. Le XVIIIe siècle a été très influencé par la philosophie d'Auguste Comte.	☐	☐
d. Jean-Paul Sartre n'était pas engagé politiquement.	☐	☐
e. Michel Foucault a montré la relation entre un moment donné de l'histoire et le discours scientifique.	☐	☐
f. Le siècle des Lumières est le XVIIe siècle.	☐	☐

4 Donnez votre avis

a. Dans votre pays, est-ce que la philosophie est une matière obligatoire au lycée ?

b. Est-ce que vous pensez que c'est important d'étudier la philosophie ? Pourquoi ?

c. Est-ce que vous associez, comme Auguste Comte, le développement de la connaissance scientifique à l'idée de progrès positif pour l'humanité ?

d. Est-ce que vous croyez plutôt au déterminisme qu'à la liberté de l'homme telle que Jean-Paul Sartre la voit ?

e. Répondez à la question : « Faut-il toujours dire la vérité ? »

DANS UNE LIBRAIRIE

Deux amis cherchent un livre.

Amélie – Qu'est-ce qu'elle aime ta copine ? la poésie ? les biographies ? les récits de voyage ? les romans ?

David – Les romans contemporains.

Amélie – Quel genre ? de la science-fiction, des trucs faciles à lire ?

David – Je ne sais pas vraiment, elle lit un peu de tout.

Amélie – Tiens, tu peux lui acheter le dernier Daniel Pennac[1], *Chagrin d'école*. Il a eu le prix Renaudot[2]. Je l'ai lu, c'est très bien.

David – Daniel Pennac, ça me dit quelque chose…

Amélie – Tu sais, c'est celui qui a écrit *La Fée carabine*, l'histoire d'une famille qui vit à Belleville. C'est marrant[3]. Dans *Chagrin d'école*, il raconte son enfance. Comment il a pu survivre alors qu'il était un vrai cancre[4] à l'école. C'est plein de fantaisie et de réalisme à la fois. Il a beaucoup d'humour et finalement, c'est un livre optimiste que tous les parents et les profs devraient lire.

David – C'est peut-être un peu trop moralisateur ?

Amélie – Pas du tout. Et rappelle-toi ce qu'il a dit, Pennac[5] : on a le droit de sauter des pages, de ne pas finir un livre…

David – D'accord, mais si je lui offre un livre, c'est pour qu'elle le lise, non ?

Amélie – Alors, qu'est-ce que tu proposes ?

David – En fait, moi j'adore les bandes dessinées. Je crois que j'aimerais acheter un album de Blutch.

Amélie – C'est pour toi ou pour elle ?

David – Pour nous deux !

---

1. Écrivain contemporain.
2. Prix littéraire.
3. (Familier) amusant.
4. Très mauvais élève.
5. Dans son livre *Comme un roman*.

INFORMATIONS

► **Quelques grands mouvements littéraires**

Le classicisme

La période classique en France correspond au siècle de Louis XIV ou, plus exactement, à la deuxième moitié du XVIIe siècle. Les grands auteurs de l'époque s'inspirent des Grecs (Aristophane, Euripide, Ésope...) et des Latins (Virgile, Horace, Sénèque...). Ils veulent par leur art instruire et plaire, s'exprimer dans une langue claire et harmonieuse et ont le souci de la vraisemblance. L'idéal est la mesure et l'équilibre. Les grands dramaturges Corneille et Racine respectent la règle des trois unités : une action unique qui se passe en une seule journée et en un seul lieu (unité d'action, de temps et de lieu). Jean de La Fontaine, La Rochefoucault, La Bruyère, Boileau, par leurs fables, leurs maximes, leurs satires (des genres littéraires hérités de l'Antiquité), et surtout Molière par ses comédies, nous ont laissé une peinture vivante de la société de cette époque.

Le romantisme

Le romantisme est un mouvement qui naît à la fin du XVIIIe siècle dans toute l'Europe, et meurt officiellement au milieu du XIXe siècle. Parmi ses caractéristiques, on peut citer la critique du rationalisme, l'intérêt pour la période médiévale gothique, le goût pour l'Orient, la priorité donnée à l'imagination et la sensibilité. Le « moi » communie avec la nature, reflet de l'âme. Les poètes romantiques, tels que Lamartine, Musset ou Vigny, expriment leurs sentiments, leur mélancolie, leur exaltation ou leur dégoût de la vie.
Pour Victor Hugo, le théâtre doit refléter la réalité et donc mélanger la comédie et la tragédie. Ses pièces en vers ou en prose ne respectent plus les règles du classicisme.

Le surréalisme

Le surréalisme est un mouvement artistique révolutionnaire basé sur le refus du contrôle exercé par la raison. Il défend les valeurs de l'irrationnel, du rêve, du désir et de la révolte. Place à la poésie, l'amour, la liberté et à l'exploration de l'inconscient. André Breton, dans son *Manifeste du surréalisme* (1924), le définit comme un « automatisme psychique pur par lequel on se propose d'exprimer, soit verbalement, soit par écrit, soit de toute autre manière, le fonctionnement réel de la pensée. » Il faut libérer l'homme de toute contrainte esthétique et morale, libérer aussi les mots de leur sens. Le surréalisme a été une exploration, un jeu auquel ont participé des écrivains (Paul Éluard, Louis Aragon, Robert Desnos, Antonin Artaud...) mais aussi des peintres (Max Ernst, Salvador Dali, René Magritte...).

Le Nouveau Roman

Le Nouveau Roman n'est pas une école littéraire à proprement dit, mais plutôt une appellation qui désigne des œuvres publiées en France à partir des années 1950. Leurs auteurs – Alain Robbe-Grillet, Michel Butor, Nathalie Sarraute et Claude Simon – des personnalités aux styles très différents, ont pour point commun de refuser les conventions du genre romanesque classique : refus de la chronologie, de l'intrigue avec causes et effets, de la notion de personnage et de l'analyse psychologique, de l'omniprésence du narrateur qui, comme un dieu, voit tout, sait tout. Le nouveau roman met en valeur les « objets »[1] à travers le regard d'un homme, « situé dans l'espace et le temps, conditionné par ses passions, un homme comme vous et moi[2] ». Le Nouveau Roman n'est pas une théorie, mais une recherche.

1. « Objet » pris au sens général, c'est-à-dire « tout ce qui affecte les sens » (des meubles, une parole, une femme, un geste...).
2. Alain Robbe-Grillet, *Pour un nouveau roman*.

► **Et aujourd'hui ?**

Les prix littéraires

Il en existe des dizaines qui, chaque année, récompensent des œuvres littéraires. Un des plus connus, le Goncourt[3], est décerné chaque année « au meilleur volume d'imagination en prose ». C'est toujours un événement littéraire et l'auteur lauréat est pratiquement assuré d'un succès commercial en librairie.

3. Créé en 1902 grâce au testament de deux frères écrivains, Edmond et Jules de Goncourt, des passionnés de littérature et de création artistique.

QUELQUES ÉCRIVAINS CONTEMPORAINS

Et aujourd'hui, parmi les écrivains connus, on peut citer :
Jean-Marie Gustave Le Clézio, Patrick Modiano, Michel Tournier, Daniel Pennac, Michel Houellebecq, Amélie Nothomb, Andreï Makine, Yann Quéffelec, Jean Rouault, Pascal Lainé, Tahar Ben Jelloun, Annie Ernaux...

CITATIONS

A. « Le drame tient de la tragédie par la peinture des passions et de la comédie par la peinture des caractères »

B. « (…) nous ne savons pas ce que doit être un roman, un vrai roman ; nous savons seulement que le roman d'aujourd'hui sera ce que nous le ferons, aujourd'hui, et que nous n'avons pas à cultiver la ressemblance avec ce qu'il était hier, mais à nous avancer plus loin. »

C. « Ce qui se conçoit bien s'énonce clairement. »

D. «Tout porte à croire qu'il existe un point de l'esprit d'où la vie et la mort, le réel et l'imaginaire, le passé et l'avenir, le haut et le bas, le communicable et l'incommunicable cesseront d'être perçus contradictoirement. »

Alain Robbe-Grillet

Victor Hugo

André Breton

Boileau

La bande dessinée

La « BD », qui était auparavant destinée à un public jeune, est devenue un mode d'expression artistique à part entière : on parle même de «neuvième art». Les Français, les adultes comme les jeunes, en sont fous. Un livre sur huit vendu en France en 2005 était une BD[4] ! C'est en France qu'a lieu le plus important festival de BD d'Europe, à Angoulême, la dernière semaine de janvier.

Quelques grands noms de la BD : Gotlib, Brétecher, Reiser, Uderzo, Hugo Pratt, Tardi et puis la nouvelle génération : Loisel, Blutch, Joann Sfar, Lewis Trondheim, Christophe Blain, Marjane Satrapi, sans oublier Zep, le créateur de «Titeuf», ce petit personnage insolent qui amuse les jeunes adolescents.

4. Enquête GFK, janvier 2005.

Marjane Satrapi, *Persépolis*, éd. L'Association (extrait de «Le légume», tome 3).

ÉCOUTEZ ET RÉPONDEZ

a. Que cherchent David et Amélie ?

b. Qu'est-ce qu'Amélie suggère ?

c. Pourquoi est-ce qu'elle suggère ce livre ?

d. Est-ce que David accepte sa suggestion avec enthousiasme ?

e. Qu'est-ce qu'il préfère choisir ?

f. Pourquoi fait-il ce choix ?

FAITES LE POINT

1 Observez

a. Lisez la description des mouvements littéraires, puis trouvez la citation qui correspond à chaque mouvement.

b. Regardez la liste des auteurs. Trouvez l'auteur de chaque citation.

c. Est-ce que vous connaissez d'autres mouvements littéraires dans la littérature française ?

d. De quels auteurs cités avez-vous déjà entendu parler ?

e. Quels auteurs français avez-vous déjà lus ?

2 Classez dans le tableau

a. Les mots suivants (quels mouvements évoquent-ils ?) :
sensibilité – automatisme – harmonie – nature – recherche – équilibre – orientalisme – irrationnel – vraisemblance – mélancolie

b. Les noms d'auteurs suivants (à quels mouvements se rattachent-ils) :
André Breton – Alain Robbe-Grillet – Paul Éluard – Victor Hugo – Molière – Nathalie Sarraute – Lamartine – Musset – Racine

	Classicisme	Romantisme	Surréalisme	Nouveau roman
a.				
b.				

3 Répondez

a. Comment est-ce qu'on appelle parfois la bande dessinée ?

b. Citez le nom d'un prix littéraire français.

c. Quelles étaient les règles du théâtre classique ?

d. Est-ce que le théâtre romantique était différent ? Pourquoi ?

e. Que refusaient les surréalistes ?

f. Que refusaient les auteurs du « Nouveau Roman » ?

4 Donnez votre avis

a. Est-ce que vous avez eu les mêmes mouvements littéraires dans votre pays ?

b. Est-ce qu'il existe des prix littéraires dans votre pays ?

c. Si oui, est-ce que le public est très sensible à ces prix et achète de préférence les livres sélectionnés ?

d. Est-ce que vous lisez beaucoup ? par obligation ou par plaisir ?

e. Quel genre littéraire est-ce que vous préférez : théâtre, poésie, essai, roman, BD ?

VISITE DE MONTMARTRE

À Paris, place Émile-Goudeau, dans le XVIIIᵉ arrondissement, un groupe de touristes accompagné d'une guide s'arrête devant le numéro 13.

La guide – Nous arrivons à présent devant un lieu très intéressant de Montmartre et très important dans l'histoire de l'art. Il s'agit du « Bateau-lavoir ». C'est là, au début du XXᵉ siècle, que beaucoup de peintres et d'écrivains ont habité, travaillé et partagé leurs expériences. Le premier peintre qui s'est installé était Maxime Maufra. Plus tard, des artistes plus connus comme Gauguin, Picasso, Juan Gris, Modigliani, ainsi que des poètes y ont habité. C'est d'ailleurs un poète, Max Jacob, qui a donné ce nom de « bateau-lavoir ».

Une touriste – Qu'est-ce que ça veut dire « bateau-lavoir » ?

La guide – Eh bien, on dit que le bâtiment avec toutes ses petites pièces, qui servaient d'ateliers, ressemblait à un bateau… et « lavoir » parce que, quand Max Jacob est entré ici pour la première fois, il y avait du linge qui séchait. Quelqu'un avait lavé des vêtements au seul point d'eau qui était dans la cour. Mais en fait, on n'est pas sûr que cette histoire soit vraie…

Un touriste – Est-ce que nous pouvons entrer pour voir à l'intérieur ?

La guide – Malheureusement pas, parce qu'aujourd'hui encore, des artistes ont leur atelier ici. Le bâtiment que vous voyez là a été reconstruit après un incendie qui l'a gravement endommagé en 1970.

Le touriste – Quel dommage ! Mais alors, c'est un bâtiment neuf ?

La guide – Non, pas complètement : la façade est d'origine… et l'esprit des artistes est encore là. C'est ici qu'en 1907 Picasso a peint le tableau *Les Demoiselles d'Avignon* qui a marqué le début du cubisme.

La touriste – Ce n'est pas le tableau que je préfère de Picasso.

La guide – Mais c'est un tournant de l'histoire de l'art.

La touriste – Madame, on peut s'asseoir cinq minutes sur le banc ?

La guide – Bien sûr ! C'est fatigant, les escaliers de Montmartre, mais ça vaut la peine, non ?

INFORMATIONS

➤ **Des lieux mythiques**

La maison rose
à Montmartre.

Montmartre

De 1860 à la guerre de 1914, plus de cinq cents peintres, écrivains et musiciens se sont installés dans ce village qui venait d'être rattaché à Paris, associant pour toujours le nom de Montmartre aux révolutions artistiques qui allaient se succéder : l'impressionnisme (avec Monet, Renoir, Degas, Cézanne, Sisley, Pissarro, Suzanne Valadon et Utrillo), le fauvisme (avec Derain et Vlaminck), le cubisme (avec Braque, Picasso, Juan Gris...), sans oublier l'inclassable Toulouse-Lautrec, ses dessins et ses affiches.

Tous ces peintres étaient attirés par la nature et la peinture en plein air : Montmartre, c'était encore la campagne. Tous étaient pauvres : les ateliers de Montmartre étaient bon marché. Tous avaient en commun l'esprit « bohème », étaient non conformistes et avides de liberté, ce qui s'accordait bien au caractère des Montmartrois. Ce fut un demi-siècle de création artistique intense jusqu'à ce que la guerre éclate. Le pôle artistique s'est alors déplacé à Montparnasse.

Montparnasse

Picasso a été un des premiers à déménager à Montparnasse. D'autres ont suivi, non seulement des artistes français mais aussi de nombreux étrangers attirés par l'atmosphère conviviale des cafés et de la vie nocturne. Cette communauté internationale d'après-guerre a formé ce qu'on a appelé « l'École de Paris ». Parmi les artistes français les

plus célèbres qui ont été « Montparnos »[1], on trouve Paul Gauguin, Fernand Léger, Max Jacob, Henri Matisse, Marcel Duchamp. Marc Chagall, expliquant les raisons pour lesquelles il était venu à Paris, a dit : « Le soleil de l'art alors brillait seulement à Paris. » Mais une nouvelle guerre va forcer une deuxième fois les artistes à se disperser.

1. Nom familier donné aux habitants du quartier de Montparnasse.

La Ruche a été installée en 1903 pour accueillir des artistes. Modigliani, Soutine, Chagall, Zadkine, Léger et bien d'autres ont travaillé dans ces ateliers. Aujourd'hui encore, des artistes y habitent.

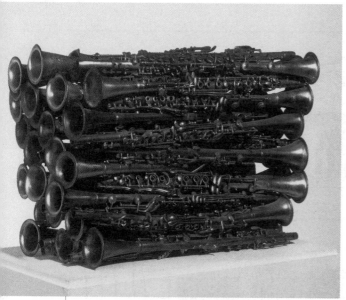

Arman (Fernandez Armand), *Fagot* de *clarinettes*, © ADAGP.

Nice et son école

Ils étaient une trentaine d'artistes, vivant sur la Côte d'Azur dans les années 1960 : des personnalités très différentes mais animées d'un même esprit contestataire, voulant déconstruire systématiquement les principes de l'esthétique traditionnelle, réalisant des « actions », des « événements » en utilisant des matériaux nouveaux. On les désigne maintenant sous le nom d'« École de Nice » alors que ce n'était ni une école, ni un mouvement, mais plutôt plusieurs mouvements d'art contemporain[2] dont le plus connu reste le « nouveau réalisme ». Deux sculpteurs, Arman et César[3], l'un avec ses « accumulations » ou ses « destructions » d'objets, l'autre avec ses « compressions » et ses « expansions », détournaient les objets de notre vie quotidienne pour en faire des réalités esthétiques. Le peintre Yves Klein, connu pour ses « actions » et sa fameuse couleur bleue qui est à la fois la matière et le sujet de ses tableaux, disait : « Nous nous amusons sans penser ni à la religion, ni à l'art, ni à la science. »

2. Les autres mouvements étaient Fluxus, Support Surfaces et le Groupe 70.
3. César était de Marseille et non de Nice.

► Musées gratuits ?

Plus de trois Français sur quatre ont visité au cours de leur vie au moins un musée. C'est déjà bien, mais comment inciter ceux qui n'y vont jamais ? Rendre l'accès totalement gratuit ? La question est posée[4]. Déjà certaines catégories de personnes ne paient pas ou peu : les étudiants, les personnes âgées, les journalistes, les enseignants. De plus, beaucoup de musées sont gratuits certains jours du mois. Alors, la fréquentation des musées est-elle seulement une question de prix ? N'est-elle pas plutôt liée à un problème d'éducation ? Est-ce que l'école n'aurait pas un rôle à jouer ? Celui de former le regard à un très jeune âge pour pouvoir apprécier une œuvre d'art et donner l'envie d'aller au musée.

4. Une enquête sur Internet montre que 47 % des personnes interrogées sont contre la gratuité des musées et 53 % sont pour.

► La photographie

Tout le monde sait que l'apparition de la photographie au XIXe siècle a révolutionné le monde artistique, mais sait-on que c'est à un Français, Nicéphore Niépce, qu'on doit le premier négatif ? La photographie n'a pas seulement envahi notre vie quotidienne, elle a aussi enrichi notre patrimoine artistique. En France, on retiendra le nom de grands photographes témoins de leur époque : Jacques-Henri Lartigue (1894-1986) avec ses clichés sur les débuts de l'aviation et de l'automobile et sur la vie mondaine du XXe siècle ; Henri Cartier-Bresson (1908-2004), qui nous a laissé de magnifiques portraits d'artistes et des photos de ses reportages à l'étranger – lui qui disait que « la saisie d'une image est une grande joie physique et intellectuelle ». Et puis, il y a Robert Doisneau (1912-1994), le photographe français sans doute le plus célèbre : son *Baiser* de *l'Hôtel* de *ville*[5] a été reproduit en millions d'exemplaires. Il a saisi sur la pellicule la vie des quartiers populaires de Paris et de la banlieue.

5. C'est la photo d'un couple qui s'embrasse au milieu d'une place, à Paris.

QUELQUES PEINTRES FRANÇAIS REPRÉSENTATIFS DE GRANDS MOUVEMENTS ARTISTIQUES

Le classicisme : Poussin.
Le baroque : Rubens.
Le néo-classicisme : David.
Le romantisme : Delacroix, Géricault.
Le réalisme : Millet, Courbet, Manet.
L'impressionnisme : Degas, Monet, Pissarro, Cézanne, Renoir, Sisley.
Le néo-impressionnisme : Seurat, Gauguin.
Les Nabis : Bonnard, Vuillard.
Le fauvisme : Matisse, Derain, Vlaminck.
Le surréalisme : Max Ernst.

ÉCOUTEZ ET RÉPONDEZ

a. Où sont ces personnes ?

b. Que font-elles ?

c. Comment s'appelle précisément le lieu où elles se trouvent ?

d. Pourquoi est-ce que ce lieu est intéressant ?

FAITES LE POINT

1 Observez

a. Regardez le dessin de la Ruche, puis cherchez dans le dictionnaire la signification du mot « ruche ». À votre avis, pourquoi est-ce qu'on a appelé ce lieu la « Ruche » ?

b. Regardez un plan de Paris. Où est situé Montmartre ? et Montparnasse ?

c. Situez Nice sur une carte de France.

d. Parmi les artistes cités, faites la liste de tous ceux que vous connaissez déjà.

2 Vrai ou Faux ?

	V	F
a. Picasso a habité à Montmartre et à Montparnasse.	☐	☐
b. Monet, Renoir, Degas étaient des peintres de « l'École de Paris ».	☐	☐
c. Toulouse-Lautrec a fait des affiches.	☐	☐
d. Les artistes étaient toujours à la recherche d'ateliers bon marché.	☐	☐
e. Henri Matisse est un peintre de « l'École de Nice ».	☐	☐
f. L'inventeur de la photographie est un Français.	☐	☐
g. En France, tout le monde paie le même tarif pour entrer dans un musée.	☐	☐

3 Entourez la bonne réponse

a. Les artistes étaient à Montmartre avant la Première Guerre mondiale ou après la Seconde Guerre mondiale ?

b. Le pôle artistique s'est déplacé vers Montparnasse après la Première Guerre mondiale ou après la Seconde Guerre mondiale ?

c. Les artistes de l'École de Nice vivaient dans les années 1960 ou dans les années 1990 ?

d. Le cubisme est né à Montmartre ou à Montparnasse ?

e. Le « nouveau réalisme » est né à Paris ou à Nice ?

4 Répondez

a. Pourquoi est-ce que les artistes ont choisi Montmartre ?

b. Pourquoi est-ce qu'ils ont choisi ensuite Montparnasse ?

c. « L'École de Paris » regroupait quels types d'artistes ?

d. Est-ce que « l'École de Nice » est un mouvement artistique ?

e. Quelle est la particularité des sculpteurs du « nouveau réalisme » ?

f. Qui est le photographe français contemporain le plus célèbre ?

5 Donnez votre avis

a. Est-ce que vous aimez la peinture classique ou moderne ? Y a-t-il un mouvement ou un artiste que vous aimez particulièrement ?

b. Est-ce que vous aimez prendre des photos ? Si oui, quel genre de photos ?

c. Est-ce que vous pensez que la gratuité dans les musées peut encourager les gens à y aller ?

UN NOUVEAU MUSÉE À PARIS

Un couple d'Italiens et une Française.

La Française – Je suis désolée. Je ne peux pas venir avec vous aujourd'hui, je travaille, mais je vais vous expliquer comment y aller. Vous prenez le RER jusqu'à la station Champ-de-Mars - tour Eiffel. C'est direct. Quand vous sortez de la station, vous demandez le musée du quai Branly[1]. C'est tout près. Vous voyez une façade couverte de végétaux, vous continuez et vous avez le musée. C'est un bâtiment qui ressemble à des boîtes multicolores, au milieu d'un jardin sauvage.

L'Italienne – Comment s'appelle l'architecte ?

La Française – Jean Nouvel.

L'Italienne – Tu peux répéter le nom, s'il te plaît ?

La Française – Jean, c'est son prénom, Nouvel, c'est son nom de famille. Jean Nouvel. C'est vraiment l'architecte français le plus connu en ce moment.

L'Italienne – C'est parfait pour ta recherche, Enzo !

L'Italien – Oui, c'est exactement ce qu'il me faut parce que le titre de ma recherche est : « L'architecture européenne contemporaine : trois capitales, trois architectes ». Pour Paris, je vais donc peut-être choisir Jean Nouvel, si j'aime ce qu'il fait. Quels autres bâtiments est-ce qu'on peut voir de lui à Paris ?

La Française – À Paris, tu peux voir aussi l'Institut du monde arabe. C'est un bâtiment tout en verre, très beau… en tout cas, moi, j'aime bien. Et aussi la fondation Cartier, un musée d'art contemporain ; à Lyon, l'Opéra… mais il a aussi travaillé à l'étranger, en Suisse, en Allemagne, en Autriche, etc.

L'Italien – Et le centre Beaubourg, c'est lui aussi ?

La Française – Eh non ! devine quoi ? c'est un architecte italien, Renzo Piano[2], qui a dessiné le centre Pompidou.

L'Italienne – N'oublie pas que nous, les Romains, nous sommes une nation de bâtisseurs…

La Française – Et vous, quand vous sortirez du RER, n'oubliez pas de regarder cette bonne vieille tour que le monde entier vient admirer. C'est monsieur Gustave Eiffel, le célèbre ingénieur, qui l'a créée il y a plus de cent ans.

---

1. Musée des Arts premiers.
2. Ils sont en fait deux architectes : Renzo Piano et Richard Rogers.

INFORMATIONS

▶ Quelques grands architectes

Hector Guimard (1867-1942)

La station de métro Abbesses à Paris.

Le toit-terrasse de l'Unité d'habitation de Marseille.

Hector Guimard est le représentant le plus célèbre de l'« Art nouveau », qui est apparu vers 1900. C'était la « Belle Époque ». Certains artistes désiraient rompre avec le classicisme et voulaient inventer un style totalement « nouveau ». Leur source d'inspiration était la nature : fleurs, branches d'arbres, papillons, libellules dont les formes courbes et gracieuses étaient reproduites dans les meubles, les peintures, les vases, les bijoux… et l'architecture. Hector Guimard, architecte et créateur, construisait des hôtels particuliers et dessinait des meubles et divers objets dans ce style Art nouveau. Le métro venait d'être créé. Il fallait dessiner les entrées des stations. Certains architectes voulaient des entrées à l'antique, avec des colonnes. Guimard a proposé un projet très original, alliant la fonte et le verre et jouant avec les courbes. Et son projet a été choisi. Aujourd'hui, une douzaine de ces entrées existent encore et témoignent de cette période de l'histoire de l'art où la ligne droite était bannie.

Le Corbusier (1887-1965)

Son vrai nom était Charles-Édouard Jeanneret-Gris, il était suisse naturalisé français. Dès ses débuts, dans les années 20-30, il privilégie les formes simples et sans ornements, et les volumes ordonnés et harmonieux dans la construction de ses premières villas (villa Stein à Garches, villa Savoye à Poissy). Architecte et créateur de meubles, Le Corbusier développe également toute une doctrine théorique sur l'urbanisme : face au manque de logements après la guerre, il construit à Marseille sa « Cité radieuse », un village verti-

cal, qui comprend des logements, des commerces, des équipements collectifs[1], des lieux de rencontre. Pour lui, l'architecture doit créer du lien social pour redonner l'espoir et le goût de vivre ensemble.

En Inde, il dessine tout le complexe administratif de la ville de Chandigarh. On y retrouve les éléments clefs de son style : les pilotis, le toit terrasse, la grille brise-soleil par exemple. Admiré ou très critiqué, Le Corbusier a eu une influence considérable sur l'architecture contemporaine.

1. Garderie, laverie, piscine, bibliothèque…

Jean Nouvel (né en 1945)

Jean Nouvel a toujours dénoncé le conservatisme de sa discipline et affiché des opinions fortes en matière d'urbanisme. En 1987, son ensemble de logements sociaux à Nîmes avait ouvert un débat sur les normes des HLM[2]. Lauréat de nombreux prix, Jean Nouvel a su imposer son style. Il utilise

Le musée des Arts premiers, quai Branly.

des matières comme l'acier, le bois, le verre en utilisant des techniques innovantes pour créer des jeux de lumière modernes et élégants. Ses dernières recherches portent sur le temps : il considère la végétation non pas comme un simple élément de décoration, mais comme une matière architecturale éphémère, comme le montre le musée du quai Branly à Paris, une de ses récentes réalisations (2006). Cet architecte français connaît un rayonnement international, avec des réalisations dans le monde entier : l'ambassade de France à Berlin, le musée Guggenheim de Tokyo, le Centre culturel de Lucerne en Suisse, le théâtre Guthrie à Minneapolis, la tour Agbar à Barcelone…

2. Habitations à loyer modéré (logements sociaux).

► **L'art religieux : les styles roman et gothique**

La France ne serait pas la France si on supprimait toutes les églises, cathédrales, abbayes, monastères et autres monuments religieux qui font partie de son histoire. Deux époques, deux styles : le style roman s'est développé dans toute l'Europe du IXe au XIIe siècle. Il se transforme progressivement, à partir du milieu du XIIe siècle, en style gothique.

La **voûte romane** a la forme d'un demi-cercle. Elle s'appuie sur des murs épais et des piliers de pierre.

Le poids de la **voûte gothique**, en arc brisé, est transféré sur les piliers. Les murs sont moins épais. On peut ainsi percer de larges ouvertures qui laissent entrer la lumière.

ARCHITECTURE D'HIER ET D'AUJOURD'HUI

Le pont du Gard
Ce pont extraordinaire, construit par les Romains vers 50 après J.-C., devait transporter de l'eau vers Nîmes. Il est aujourd'hui un des monuments historiques les plus visités de France.

Le viaduc de Millau
À 343 mètres de haut, le viaduc de Millau, le plus haut pont du monde, reste une belle réalisation d'une entreprise de construction française. Il a été construit en 2004 pour enjamber la vallée du Tarn. Son architecte, le Britannique Norman Foster, n'est pas le seul étranger à avoir contribué au renouveau de l'architecture en France.

ÉCOUTEZ ET RÉPONDEZ

a. Où est-ce que le couple étranger veut aller ?

b. Pourquoi est-ce qu'ils veulent aller là-bas ?

c. De quoi est-ce qu'ils parlent ?

d. Quels noms d'architectes sont cités ?

e. Quelle est la nationalité du couple ?

FAITES LE POINT

1 Observez

a. Regardez tous les dessins. Lequel préférez-vous ? Pourquoi ?

b. Regardez la station de métro Abbesses. Qu'est-ce qui fait son originalité ?

c. Pourquoi est-ce que la maison dessinée par Le Corbusier à Marseille est spéciale ?

d. À quoi ressemble le musée du quai Branly ?

e. Quelle est la principale différence entre une voûte romane et une voûte gothique ?

f. Regardez une carte de France. Où est située la ville de Millau ? la ville de Nîmes ?

2 Devinez de quel architecte on parle

a. Il aime les matériaux tels que le verre, le bois, l'acier pour jouer avec la lumière.

b. Il pensait que des équipements collectifs devaient être intégrés dans un ensemble de logements pour que les gens se rencontrent.

c. Il a conçu un bâtiment qui est le symbole de la ville de Paris.

d. Il n'aimait pas les lignes droites mais adorait les motifs végétaux.

3 Répondez aux questions

a. Comment s'appelle le style des anciennes stations de métro à Paris ?

b. Qu'est-ce qui a incité Le Corbusier à construire la « Cité radieuse » à Marseille ?

c. Dans quels pays, en dehors de la France, a travaillé Jean Nouvel ?

d. Quel est le style le plus ancien : le style roman ou le style gothique ?

e. Qui a construit le pont du Gard ?

f. Pourquoi est-ce que le viaduc de Millau est connu ?

4 Donnez votre avis

a. Est-ce que vous aviez déjà entendu parler de ces architectes ? Si oui, lesquels ?

b. Connaissez-vous le nom de grands architectes ou designers dans votre pays ? Lesquels ?

c. Quelle(s) ville(s) dans le monde est-ce que vous trouvez belle(s), d'un point de vue architectural ?

d. Est-ce que vous préférez les immeubles anciens ou modernes ?

e. Est-ce que vous aimez visiter les églises ?

f. Quand vous achetez un objet utilitaire pour la maison, est-ce que vous êtes très sensible au design de l'objet ou est-ce que l'aspect pratique est plus important ?

ALLONS À L'OPÉRA !

Deux amies déjeunent ensemble.

Florence – Qu'est-ce que tu fais mardi soir ?

Aline – Mardi soir ? Rien de spécial, pourquoi ?

Florence – Est-ce que ça te dirait d'aller à l'Opéra ?

Aline – À l'Opéra ? tu sais, moi la musique classique, ça ne me branche[1] pas trop… Je suis plutôt concert de rock, ou quelquefois jazz…

Florence – Mais non, je te propose d'aller à l'Opéra Garnier, pas l'Opéra Bastille. À l'Opéra Garnier, on donne des spectacles de danse, alors qu'à l'Opéra Bastille, c'est vraiment des opéras chantés.

Aline – Ah bon ? je ne savais pas… mais ton spectacle, si c'est de la danse classique en tutus[2], je te dis franchement, je n'aime pas trop.

Florence – C'est fou comme tu as des préjugés ! D'abord, le ballet ce n'est pas toujours classique. La danse, c'est un art vivant. Il y a beaucoup de styles différents et puis, il y a toujours de nouvelles créations.

Aline – Tu as raison. Je me rappelle avoir vu un ballet de Béjart[3], je crois que c'était sur la musique de Stravinsky[4], c'était génial.

Florence – Alors, tu vois. Bon, pour en revenir à mardi, c'est de la danse moderne, mais je ne peux pas te garantir que tu aimeras.

Aline – Bien sûr. Excuse-moi Florence, c'est vraiment très gentil d'avoir pensé à moi et je serai ravie d'aller à l'opéra avec toi.

Florence – Je ne t'ai jamais dit que, quand j'étais petite, je voulais être danseuse ?

Aline – Ah non, tu ne m'as jamais dit ça.

Florence – J'ai fait de la danse pendant six ans, c'était vraiment une passion et j'ai même passé des concours. Mais mes parents ne m'encourageaient pas. Ils voulaient que je sois une scientifique, pas une artiste. Alors, j'ai laissé tomber.

Aline – Mon pauvre petit rat[5] ! ne sois pas triste ! Pas de regret, tu es devenue une brillante chercheuse.

---

1. (Familier) ça ne me plaît pas trop.
2. Jupe très légère et très courte portée par les danseuses classiques.
3. Chorégraphe français (1927-2007), qui a profondément marqué la danse contemporaine.
4. *Le Sacre du printemps*.
5. Allusion aux «petits rats» de l'Opéra de Paris qui sont de jeunes élèves danseurs ou danseuses.

INFORMATIONS

➤ La musique

Pour une grande majorité des Français, la musique est la forme d'art la plus indispensable dans la vie quotidienne, bien avant la littérature et le cinéma. Et c'est chez les jeunes que l'amour de la musique est le plus fort, avec une préférence pour les chansons. Les nouveaux modes d'accès – Internet, lecteurs MP3, i-pod, téléphone mobile – leur permettent d'écouter de la musique partout et à tout moment. Ainsi, la musique est totalement intégrée à leur vie. On estime que les Français auraient téléchargé un milliard de chansons en 2005[1].

2. Un trombone est un instrument de musique, mais c'est aussi une petite attache métallique servant à rassembler plusieurs feuilles de papier.

QUELQUES GRANDS COMPOSITEURS FRANÇAIS

Au XVIIᵉ siècle
Jean-Baptiste Lully, Jean-Philippe Rameau

Au XVIIIᵉ siècle
François Couperin

Au XIXᵉ siècle
Hector Berlioz, George Bizet, César Franck, Jacques Offenbach

Au début du XXᵉ siècle
Claude Debussy, Gabriel Fauré, Erik Satie, Maurice Ravel, Francis Poulenc, Camille Saint-Saëns

Au XXᵉ siècle
Pierre Boulez, Olivier Messiaen, Darius Milhaud, Pierre Henry, Iannis Xenakis

---

On note une nette préférence pour la musique de variétés et ceci est encore plus vrai chez les jeunes. Cependant, la musique classique est toujours perçue comme étant « belle » et « reposante », mais un peu « dépassée »[3] pour les jeunes.

Les Français n'écoutent pas seulement de la musique, ils en font : des conservatoires municipaux de musique répartis sur tout le territoire français accueillent ceux qui veulent apprendre à jouer d'un instrument de musique sans obligatoirement en faire une profession.

1. D'après *Francoscopie 2007*. 3. Démodée.

➤ L'école de danse de l'Opéra de Paris

Les petits rats de l'Opéra de Paris.

Elle fêtera ses 300 ans en 2013 : trois siècles d'histoire et de tradition, ce qui fait d'elle la plus ancienne école de danse du monde occidental. C'est là qu'est née la danse académique classique, sous le règne de Louis XIV[4]. Aujourd'hui, les danseurs de l'Opéra de Paris sont des artistes capables d'interpréter un répertoire toujours plus large, comprenant non seulement la tradition de la danse classique française mais aussi des chorégraphies contemporaines. Mais le chemin est long avant de devenir « danseur ou danseuse étoile ». C'est à 8 ans qu'on peut se présenter au concours d'entrée pour devenir un « petit rat de l'opéra ». 250 candidats se présentent chaque année. Trois ou quatre seront retenus et quelques années plus tard, seuls quelques élus pourront intégrer le corps de ballet. La danse est une discipline exigeante et difficile.

4. Création de l'Académie royale de danse en 1661 et création de l'École de l'Académie en 1713.

► **Opéras, opérettes, comédies musicales ou spectacles musicaux ?**

L'opéra a été longtemps considéré comme un spectacle réservé à une élite sociale ayant une culture musicale classique et pouvant s'offrir des places chères. Il l'est un peu moins aujourd'hui : les émissions de télévision, les clips de publicités ou des musiques de film reprenant des airs d'opéra ont fait connaître le répertoire lyrique au grand public et lui ont donné envie d'aller à l'opéra. D'autre part, les abonnements proposent des tarifs intéressants. On note ainsi un élargissement démographique du public en termes d'âges et de classes sociales. Parmi les opéras français les plus appréciés, on trouve ceux de Charles-François Gounod (*Faust, Roméo et Juliette*), mais surtout le *Carmen* de Bizet.

L'opérette, comédie chantée, plus légère que l'opéra et autrefois très appréciée, a toujours son public. Mais ce sont les « spectacles musicaux » qui remportent le plus grand succès maintenant. On les appelle « comédies musicales », bien qu'il y ait quelques différences avec ce genre très populaire aux États-Unis et en Grande-Bretagne : les décors et les effets spéciaux sont plus simples et les spectacles restent à l'affiche moins longtemps. En 1981, *Notre-Dame* de *Paris*, s'inspirant du célèbre roman de Victor Hugo, a été un véritable événement musical qui a révélé les nouveaux goûts du public français. Depuis, d'autres spectacles ont été montés : *Les Dix Commandements, Le Petit Prince, Ali Baba, Les Demoiselles de Rochefort, Le Roi-Soleil...*

LES SPECTACLES MUSICAUX PRÉFÉRÉS DES FRANÇAIS

Question : *Si vous en aviez la possibilité, quels spectacles musicaux iriez-vous voir de préférence ?*

	Ensemble (%)	Moins de 35 ans (%)	Plus de 35 ans (%)
Une comédie musicale	49	51	48
Un concert pop-rock	31	52	19
Un concert de jazz	21	19	23
Un opéra	21	15	25
Un concert symphonique	20	8	26
Un récital	11	2	16
Un concert techno	8	17	3
– Ne se prononcent pas	1	1	1
TOTAL	*	*	*

* Total supérieur à 100 en raison des réponses multiples.

Source : Sondage « Les Français et la musique classique », IFOP/*L'Express*, 2 février 2001.

ÉCOUTEZ ET RÉPONDEZ

a. Qu'est-ce que Florence propose à son amie ?

b. Quelle est la réaction de son amie ?

c. Quels sont les goûts musicaux de son amie ?

d. Est-ce qu'elle accepte finalement la proposition de Florence ?

e. Quel était le rêve de Florence quand elle était petite ?

f. Est-ce qu'elle a réalisé son rêve ? Pourquoi ?

FAITES LE POINT

① Observez

a. Regardez le sondage sur les spectacles musicaux préférés des Français.
Est-ce que la musique techno est vraiment très appréciée ?

b. Comparez les pourcentages des moins de 35 ans avec ceux des plus de 35 ans.
Sur quel type de musique ont-ils un goût très différent ?

c. Regardez la liste des compositeurs français :
– soulignez d'un trait ceux dont vous connaissez le nom ;
– entourez ceux dont vous avez déjà entendu la musique ;
– ajoutez le nom d'autres compositeurs français que vous connaissez.

② Cochez la bonne réponse

a. Ce que la majorité des Français préfèrent en priorité, c'est :
☐ la littérature. ☐ la musique. ☐ le cinéma.

b. Ce qu'ils préfèrent comme musique, c'est :
☐ le jazz. ☐ la musique classique. ☐ la musique de variétés.

c. Ce que les jeunes Français préfèrent, c'est :
☐ le jazz. ☐ les chansons. ☐ le rock.

d. Le spectacle préféré de la majorité des Français est :
☐ un concert pop-rock. ☐ un récital. ☐ une comédie musicale.

③ Répondez

a. Est-ce que la manière d'écouter la musique a changé ? Expliquez.

b. Quelles sont les différentes manières de se procurer de la musique ?

c. Quand est-ce que l'école de danse de l'Opéra de Paris a été fondée ?

d. Est-ce que l'opéra a toujours une image élitiste ?

e. Comment est-ce qu'on appelle un(e) très jeune danseur (danseuse) de l'Opéra de Paris ?

④ Donnez votre avis

a. Qu'est-ce que vous écoutez comme musique ?

b. Est-ce que vous allez souvent au concert ? Pourquoi ?

c. Est-ce que vous jouez d'un instrument de musique ? Si oui, lequel ?

d. Est-ce que vous aimez l'opéra ? ☐ un peu ☐ moyennement ☐ beaucoup

e. Est-ce que vous aimez les comédies musicales ?

f. Est-ce que vous avez déjà vu des spectacles de danse moderne ?

g. Est-ce que vous aimez la danse classique ?

DANS LA RÉDACTION D'UN MAGAZINE DE MODE

Le rédacteur en chef – Béatrice, tu es libre entre le 14 et le 25 mai ?

Béatrice – Je crois que oui. J'ai un reportage à faire la première semaine de mai sur un petit festival de rap, je ne sais plus très bien où… mais après, je suis libre.

Le rédacteur en chef – Bon, parce qu'on a pensé à toi pour le Festival de Cannes.

Béatrice – Très bien. Qui m'accompagne ?

Le rédacteur en chef – Sans doute Basile Lafond. Tu le connais ?

Béatrice – Non, son nom ne me dit rien. Je crois que je n'ai jamais travaillé avec lui.

Le rédacteur en chef – Excellent photographe, tu verras. Et le Festival de Cannes, il connaît bien. On y était ensemble. Il était tout jeune à cette époque. Il débutait dans la profession. C'était encore dans l'ancien Palais des festivals sur la Croisette[1]. Alors tu vois, ça ne date pas d'aujourd'hui ! À cette époque, c'était plus intime. Les stars étaient plus accessibles. Je me souviens que j'avais fait une interview de Jeanne Moreau. Quelle actrice ! J'entends encore son rire ! J'adore !

Béatrice – Et elle joue toujours.

Le rédacteur en chef – Oui, je sais. Bref, on va faire un numéro spécial Cannes. Alors, vous allez avoir du boulot[2]. Tous les jours un papier[3]. Je vais chercher une assistante pour t'aider. Je n'ai pas encore décidé qui.

Béatrice – D'accord.

Le rédacteur en chef – Vous irez trois jours avant l'ouverture, pour prendre la température[4].

Béatrice – À propos de température, on peut se baigner dans la mer en mai ?

Le rédacteur en chef – Un peu froid à cette saison. D'ailleurs, vous n'aurez sûrement pas le temps.

Béatrice – Et l'hôtel ?

Le rédacteur en chef – Vous serez logés à l'hôtel Mistral, à quelques minutes à pied du Palais des festivals. Un petit hôtel charmant… Vous ne pensiez quand même pas qu'on allait vous loger à l'hôtel Martinez[5] !

Béatrice – Oh, on peut toujours rêver…

---

1. L'avenue qui longe la mer.
2. (*Familier*) du travail.
3. Un article, dans le langage journalistique.
4. Au sens figuré, cette expression signifie « voir l'ambiance ».
5. Grand hôtel de luxe sur la Croisette.

INFORMATIONS

► De la musique avant toute chose

La Fête de la musique, célébrée dans toute la France le 21 juin, donne le signal: l'été est la saison de la musique, de toutes les musiques. Vous êtes fou de jazz? partez dans le Sud-Ouest. Marciac, un petit village du Gers, près d'Auch, est le festival à ne pas manquer au mois d'août. Un grand nombre de musiciens français et étrangers et de stars internationales s'y produisent, dans une atmosphère de kermesse sympathique. Si vous préférez la Côte d'Azur, allez à Nice vous promener dans les jardins et les arènes romaines de Cimiez[1], écouter du jazz, de la pop, de la world music, du blues, de la soul. Les amateurs d'opéra trouveront leur bonheur au festival d'Aix-en-Provence ou encore aux «Chorégies d'Orange[2]», le plus ancien festival français (créé en 1869) qui a pour cadre un superbe théâtre antique de l'époque romaine. Si vous aimez les récitals de piano, le festival de La Roque d'Anthéron, près d'Aix-en-Provence, vous enchantera: les plus grands pianistes viennent y donner des concerts.

Et quand l'automne arrivera, le «Festival de l'Île-de-France» consolera les mélomanes de la disparition des beaux jours, en leur proposant des concerts dans des lieux magnifiques.

1. Quartier de Nice.
2. «Chorégie» vient du latin *choreo*s. Orange est une ville du sud de la France (près d'Avignon).

► La chanson française

Amateurs de rock ou de rap, tous les fans de la chanson française ou francophone sont au rendez-vous annuel des «Francofolies» de La Rochelle. Pendant cinq jours en juillet, des chanteurs, connus ou inconnus, d'horizons musicaux très variés, animent cette grande fête, qui a fait des adeptes outre-Atlantique: à Montréal, les Canadiens ont aussi leur «Francofolies» pour montrer que la langue française est toujours bien vivante.

Un autre festival, qui dure aussi cinq jours, permet de découvrir de nouveaux talents: c'est le «Printemps de Bourges», un événement important dans le monde de la musique de variétés et de la chanson: une dizaine de lieux de spectacles, plus de 50 concerts, 200 artistes.

Si la Bretagne vous séduit et que la musique celtique vous enchante, pas d'hésitation: le «festival interceltique de Lorient» est pour vous. Ces quelques festivals ne représentent qu'une petite partie des manifestations artistiques en France.

► Le Festival international de Cannes

Le premier Festival international de Cannes a eu lieu le 20 septembre 1946. C'était la première manifestation internationale culturelle d'après-guerre. Au début, c'était plus une rencontre de cinéma qu'une compétition car presque tous les films présentés repartaient avec un prix. Mais très vite, avec l'augmentation croissante des participants et le poids économique de l'industrie du cinéma, il est devenu un événement très médiatisé et un rendez-vous de professionnels (non seulement des réalisateurs et des acteurs, mais aussi des producteurs et des acheteurs). Il a maintenant lieu en mai. Le prix le plus prestigieux décerné au meilleur film est la Palme d'or.

Cannes ne doit pas faire oublier d'autres festivals de qualité comme le Festival du film d'animation à Annecy, du film fantastique à Avoriaz, du cinéma américain à Deauville, du film policier à Cognac, du court métrage à Clermont-Ferrand.

► Théâtre: le Festival d'Avignon

Il a été créé en 1947 par l'acteur Jean Vilar[3] qui désirait initier au théâtre un vaste public populaire et faire «respirer» le théâtre loin de la capitale. La cour d'honneur du Palais des Papes a ainsi accueilli en été les troupes parisiennes. Le succès a été immédiat. En 1996, le Festival a élargi ses activités en incluant des ballets classiques et modernes, des orchestres et diverses troupes de théâtre étrangères. Aujourd'hui, le Festival est devenu un lieu de rencontre estivale de publics très divers et de toutes les formes d'art, y compris les arts de la rue.

3. Jean Vilar a également dirigé le TNP (Théâtre national populaire) à Paris.

Scène de théâtre au Palais des Papes.

► Le festival de danse de Montpellier

« Éveiller un large public aux formes multiples d'un art jusque-là très peu diffusé », tel est l'objectif ambitieux que s'était fixé son créateur Dominique Bagouet, dans les années 1980. Objectif totalement atteint par ce festival de danse internationalement reconnu et dont les spectacles de danse contemporaine suscitent des débats intellectuels et esthétiques.

► Lire en fête

Lectures faites par des acteurs ou des auteurs, promenades poétiques, soirées de contes et des centaines d'autres activités gratuites constituent le programme de cette fête de la lecture organisée dans toute la France, au mois d'octobre. Le but ? découvrir, encourager ou retrouver le plaisir de lire. Trois jours d'animation dans les librairies et les bibliothèques, mais aussi dans des lieux plus inattendus comme des cafés, des places de villes et de villages, des gares, des marchés, des cinémas, des théâtres, des hôpitaux ou des prisons.

► À la découverte des artistes contemporains

L'idée est de créer un parcours artistique dans une ville, pour rendre l'art contemporain accessible à tous, tout en mettant en valeur l'espace urbain. La ville s'anime grâce à l'imagination des peintres, sculpteurs, architectes, designers, stylistes qui créent des événements dans des lieux parfois insolites. Et on se promène toute la nuit : c'est « la Nuit blanche » qui, chaque automne, attire plus d'un million de Parisiens[4].

Un autre événement à ne pas manquer pour les amateurs d'art contemporain : la FIAC (Foire internationale d'art contemporain), une manifestation privée, commerciale et artistique annuelle qui se tient pendant une semaine à Paris en automne. En 2005, la FIAC a rassemblé plus de 220 galeries.

4. D'autres villes, en France et à l'étranger, ont adopté cette manifestation.

► Les journées du patrimoine

Le « patrimoine national » est l'ensemble des biens historiques, artistiques, culturels dont un peuple hérite, du fait de son appartenance à la nation. Ainsi, les « monuments historiques » de la France font partie du patrimoine des Français. Le troisième week-end de septembre, des lieux habituellement fermés sont ouverts au public : édifices officiels, parcs, jardins, sites ou bâtiments présentant un intérêt historique ou artistique : ce sont « les journées du patrimoine ». À Paris par exemple, des milliers de personnes font la queue devant le Palais de l'Élysée pour visiter le bureau du président. Dans toute la France, on prend du plaisir à découvrir ou redécouvrir des châteaux, des hôtels de ville, des musées, etc.

La file d'attente pour visiter le palais de l'Élysée.

ÉCOUTEZ ET RÉPONDEZ

a. Quelle est la profession de Béatrice ?

b. Qu'est-ce qu'on lui propose de faire ?

c. Est-ce qu'elle accepte ?

d. Est-ce qu'elle va partir seule ?

e. Est-ce qu'elle va être logée à l'hôtel Mistral ou à l'hôtel Martinez ?

FAITES LE POINT

1 Observez

a. Regardez le dessin. Pourquoi est-ce que ces personnes font la queue ?

b. Faites la liste de toutes les villes mentionnées. Regardez la carte de France p. 117 et situez ces lieux.

2 Choisissez 8 manifestations culturelles (dont 2 par saison minimum) et classez-les

Au printemps	En été	En automne
…………………………………	…………………………………	…………………………………
…………………………………	…………………………………	…………………………………

3 Cherchez : où est-ce que vous leur conseillez d'aller ?

a. « Ce qui me plaît, c'est le jazz. »

b. « Moi, j'adore le théâtre. »

c. « J'aime beaucoup les spectacles de danse moderne. »

d. « Voir des stars de cinéma en vrai, c'est mon rêve. »

e. « Ma passion, c'est la chanson. »

f. « Un bel opéra, quelle émotion ! »

g. « J'aimerais bien m'acheter une peinture très moderne. »

4 Répondez

a. Dans quelles villes de France ont lieu deux grands festivals de jazz ?

b. Quels sont les deux événements qui se produisent dans des théâtres antiques ?

c. Quelle manifestation artistique a lieu la nuit ?

d. À quoi sert la journée du patrimoine ?

e. À quoi sert « Lire en fête » ?

5 Donnez votre avis

a. Est-ce qu'il y a beaucoup de manifestations culturelles dans votre pays ou dans votre région ? Donnez un ou deux exemples.

b. Si on vous offrait un billet pour assister à une manifestation culturelle en France, laquelle est-ce que vous choisiriez ?

c. Est-ce que vous pensez que la « journée du patrimoine » est une idée intéressante ? Pourquoi ? Est-ce qu'il existe l'équivalent dans votre pays ?

d. Qu'est-ce que vous pensez de « Lire en fête » ?

Bilan nº 1

1 Devinez : qui sont ces héros de l'histoire de France ?

a. Il a lancé un appel aux Français pour résister contre l'occupant nazi.

b. Elle a combattu les Anglais pour remettre le roi de France sur son trône.

c. Il s'est battu contre les Romains mais a été vaincu.

d. C'est un grand général qui est devenu empereur.

e. Héros de la Résistance, il repose au Panthéon.

2 Placez sur cet axe chronologique les quatre guerres :
Première et Seconde Guerres mondiales, guerres d'Indochine et d'Algérie

1914	1918		1939	1945 1946	1954	1962

3 Cochez la/les bonne(s) réponse(s)

a. Actuellement, le président de la République est élu pour ☐ 4 ☐ 5 ☐ 7 ans.

b. La République actuelle est la ☐ IVᵉ. ☐ Vᵉ. ☐ VIᵉ.

c. Les députés sont élus pour ☐ 5 ans. ☐ 7 ans. ☐ 9 ans.

d. Le Conseil constitutionnel est composé de ☐ 5 ☐ 7 ☐ 9 membres.

e. Qui exerce le pouvoir exécutif ?
☐ Le président. ☐ Le Premier ministre. ☐ Le Parlement.

f. Qui peut dissoudre l'Assemblée nationale ?
☐ Le Premier ministre. ☐ Le président. ☐ Le Sénat.

4 Vrai ou faux ?

	VRAI	FAUX
a. Les sénateurs sont élus pour 7 ans.	☐	☐
b. Le Sénat peut être dissous.	☐	☐
c. Le président choisit son Premier ministre.	☐	☐
d. Les Français élisent leur président au suffrage universel direct.	☐	☐
e. Le président dirige l'action du gouvernement.	☐	☐
f. Le Conseil constitutionnel veille au respect de la constitution.	☐	☐

5 Répondez

a. Qu'est-ce que la Légion d'honneur ?

b. Est-ce que le président de la République peut être renversé par le Parlement ?

c. Est-ce que voter est obligatoire en France ?

d. Que signifie « donner sa procuration » à quelqu'un pour aller voter ?

e. Comment s'appelle le parti politique écologiste ?

f. Que signifie en politique « l'opposition » ?

g. Qu'est-ce que « la parité hommes-femmes » en politique ?

6 Regardez le dessin ci-contre et faites correspondre les numéros avec les mots de la liste suivante.

les députés – les grands électeurs – le gouvernement – les électeurs – pouvoir législatif – les sénateurs – pouvoir exécutif

Ensuite, faites 5 phrases avec les mots du dessin et de la liste, en utilisant également les verbes : nommer – former – voter – exercer – élire.

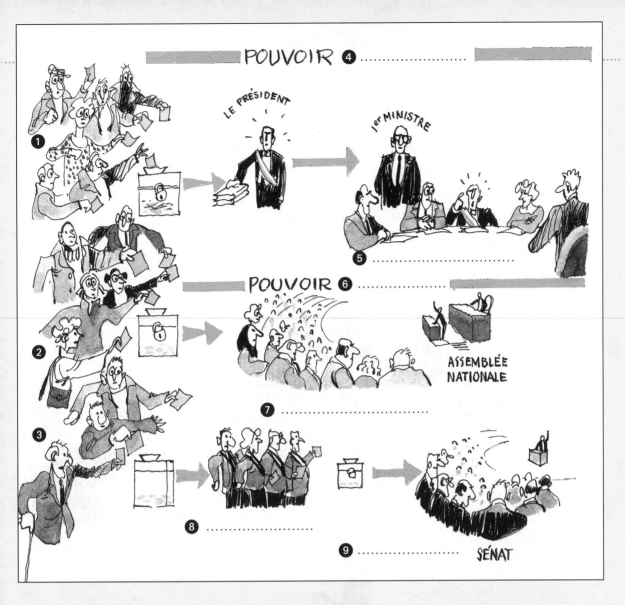

POUVOIR ④ ....

LE PRÉSIDENT

1er MINISTRE

⑤ ....

POUVOIR ⑥ ....

ASSEMBLÉE NATIONALE

⑦ ....

⑧ ....

⑨ .... SÉNAT

---

7 Trouvez les noms cachés dans la grille

	1	2	3	4	5	6	7	8	9	10	11	12
1	C	E	D	E	M	O	C	R	A	T	I	E
2	I	B	E	M	A	T	I	G	N	O	N	A
3	N	M	E	X	E	C	U	T	I	F	D	F
4	C	O	H	A	B	I	T	A	T	I	O	N
5	O	D	D	E	P	U	T	E	S	O	C	L
6	D	E	L	Y	S	E	E	V	I	C	H	Y
7	E	M	S	E	N	A	T	E	U	R	I	S
8	A	N	O	P	A	N	T	H	E	O	N	M
9	I	R	E	S	I	S	T	A	N	C	E	P

Horizontal
1. Régime politique actuel de la France.
2. Résidence du Premier ministre.
3. Pouvoir exercé par le président et le Premier ministre.
4. Situation dans laquelle se trouve un président de gauche avec un Premier ministre de droite ou vice versa.
5. Ils siègent à l'Assemblée nationale.
6. Résidence du président de la République. Ville où siégeait le gouvernement français de la France occupée par les nazis.
7. Il est élu pour 9 ans.
8. Dans ce monument, reposent les grands hommes de la nation française.
9. Mouvement qui luttait contre l'occupation nazie pendant la Seconde Guerre mondiale.

Vertical
1. Ensemble de règles : celui qui a été élaboré sous Napoléon est toujours appliqué.
2. Parti politique du centre.
4. Parti politique de gauche.
11. Ancienne colonie française.
12. Parti politique d'extrême droite.

Après les leçons 5 à 7

❶ Cherchez l'intrus : dans chaque série, barrez le mot qui ne va pas

a. le conseil régional – le conseil municipal – le conseil des ministres – le conseil général

b. un postier – un préfet – un avocat – un conducteur de train

c. la banlieue – Le département – la région – la commune

d. Nantes – Lille – Limoges – Orléans – Bretagne

e. Languedoc-Roussillon – Centre – Calvados – Franche-Comté

❷ Complétez : Qui parle ?

Placez les dialogues dans les bulles qui conviennent et écrivez pour chaque personnage sa fonction.

le juge – l'accusé – le procureur – l'avocat de la défense – la victime – l'avocat de la partie civile

a. Mon client n'a pas agi par calcul mais sous l'effet d'un choc émotionnel qui lui a fait perdre la raison...

b. Pouvez-vous m'expliquer les raisons de votre geste quand vous...

c. Ma cliente a passé cinq jours à l'hôpital et depuis...

d. L'article 234 du Code pénal prévoit une peine de...

e. Je ne me rappelle pas très bien...

3 Devinez

De quoi est-ce qu'on parle ?

a. Elle a été abolie en France en 1981.   La P_____ de M_____.

b. On y juge les crimes.

La C_____ d'A_____.

c. Chaque citoyen en a un : on y inscrit les condamnations prononcées contre lui.

Le C_____ J_____.

d. C'est une armée constituée de soldats étrangers.

La L_____ E_____.

4 Vrai ou faux ?

	VRAI	FAUX
a. Le président est le chef des armées.	☐	☐
b. La France ne possède pas l'arme nucléaire.	☐	☐
c. Les policiers sont des fonctionnaires.	☐	☐
d. Il y a toujours un service militaire obligatoire en France.	☐	☐
e. L'armée française collabore avec l'OTAN et l'ONU pour des missions de maintien de la paix dans le monde.	☐	☐

5 Complétez

Les reconnaissez-vous ? Écrivez la profession de chaque personnage.

a. ....   b. ....   c. ....

Bilan nº 3

1 Mots croisés

```
            I
         1 ☐☐☐☐☐☐☐
    2 ☐☐☐☐☐☐☐☐☐
      3 ☐☐☐
          4 ☐☐☐☐☐☐☐☐☐☐☐☐☐
        5 ☐☐☐☐
          6 ☐☐☐☐☐☐
         7 ☐☐☐☐☐
```

Horizontal

1. Principe de séparation de la religion et de l'État.
2. Première religion de France (en nombre de fidèles).
3. Mot célèbre d'Émile Zola pour défendre Dreyfus : J'........................ .
4. Il arrive en 3ᵉ position dans le classement des religions les plus pratiquées en France.
5. La communauté française pratiquant cette religion est la plus importante d'Europe.
6. Lieu de culte catholique.
7. Deuxième religion de France (en nombre de fidèles).

Vertical

I. Lieu de pèlerinage catholique.

2 Cochez

Parmi ces pays, quels sont ceux qui font partie de l'Union européenne en 2007 ?

	OUI	NON
a. La Belgique	☐	☐
b. La Suisse	☐	☐
c. La Slovénie	☐	☐
d. La Hongrie	☐	☐
e. La Russie	☐	☐
f. La Suède	☐	☐
g. La Pologne	☐	☐
h. Malte	☐	☐

3 Choisissez la bonne réponse

a. Elle émet et gère l'euro :
☐ La Cour des comptes.
☐ La Banque centrale européenne.
☐ La Banque européenne d'investissement.

b. Ses membres sont élus par les citoyens européens. Il élabore les lois :
☐ Le Conseil de l'UE.
☐ La Commission européenne.
☐ Le Parlement européen.

c. Elle contrôle les recettes et les dépenses de l'Union européenne :
☐ La Cour des comptes.
☐ La Banque européenne d'investissement.
☐ La Banque centrale.

d. Elle représente l'intérêt général de l'Union. Elle propose et exécute les lois :
☐ La Cour de justice.
☐ La Cour des comptes.
☐ La Commission européenne.

4 Répondez

a. Quelles sont les quatre villes qui accueillent les institutions européennes ?

b. Est-ce que tous les pays européens ont adopté l'euro comme monnaie nationale ?

c. Décrivez le drapeau européen.

d. Que délimite l'espace « Schengen » ?

e. Est-ce que les députés européens ont une langue de travail commune ?

f. Que signifie « francophone » ?

5 Barrez les erreurs dans ce texte, puis réécrivez-le sans erreur

La Francophonie est une organisation qui réunit seulement les pays dont les citoyens ont le français comme langue maternelle. Cependant, les pays où le français est la langue officielle, la langue d'enseignement ou la langue étrangère privilégiée peuvent aussi faire partie de cette organisation comme membres associés. Cette organisation est très récente. Elle a plusieurs objectifs : promouvoir la langue française, favoriser les échanges dans les domaines culturel, éducatif et militaire, mais aussi dans le domaine de la santé, de la recherche et de la technique. Sa mission n'est absolument pas politique. Parmi les pays faisant partie de la Francophonie, on peut citer le Cameroun, la Libye, la Roumanie, la Côte d'Ivoire, Madagascar, l'Algérie, le Laos, la Chine.

Bilan n° 4

❶ Charade

Mon premier est la deuxième lettre de l'alphabet.

Mon deuxième est la deuxième note de musique.

Mon troisième est le contraire de « haut », au féminin.

Mon quatrième est une conjonction très fréquente en français.

Mon tout se porte sur la tête.

❷ Complétez en citant des « produits bien français »

a. Quand il jouait au tennis, il portait toujours une chemise _____ .

b. Tu as réussi ton examen ! On va fêter ça avec une bouteille de _____ .

c. Hum ! c'est délicieux : du fromage avec une _____ croustillante.

d. Je n'ai rien pour écrire, tu peux me passer ton _____ ?

e. Rien ne vaut un savon pur, naturel comme le savon de _____ .

f. Non, pas d'eau plate, je préfère l'eau gazeuse. Vous avez du _____ ?

❸ Expliquez : que veulent dire ces sigles ou abréviations ?

a. UE : _____

b. OGM : _____

c. PAC : _____

d. BIO : _____

❹ Vrai ou faux ?

	VRAI	FAUX
a. Grâce à sa position géographique et son climat, la France peut cultiver une grande variété de plantes.	☐	☐
b. Malheureusement, l'agriculture française ne s'est pas modernisée ces 25 dernières années.	☐	☐
c. Les petites exploitations ont disparu au profit des grandes exploitations.	☐	☐
d. Mais les élevages laitiers ont augmenté.	☐	☐
e. Le nombre d'agriculteurs a beaucoup diminué.	☐	☐
f. L'agriculture biologique n'est pas encore très développée en France.	☐	☐
g. Les Français acceptent sans problème les OGM.	☐	☐
h. Les Français sont des grands consommateurs de viande.	☐	☐

❺ Complétez

Regardez les notes prises par un investisseur étranger. Elles parlent de l'industrie française, mais certains mots ont été effacés par la pluie. Reconstituez le texte.

Les Français sont très forts dans le domaine des transports → pas que le TGV mais aussi le métro, les voitures, les avions...

J'ai vu l'A380, quel avion ! et les pneus ! Michelin est numéro 1 dans le monde.

Et ils sont bons aussi dans la grande distribution : leurs supermarchés sont implantés dans le monde entier.

Côté pétrole, je crois que Total est la première entreprise française → à vérifier.

Donc pays encore attractif pour les investisseurs. Main-d'œuvre de qualité.

1 Devinez de qui ou de quelle marque on parle

a. C'était une grande dame de la haute couture française. Ses tailleurs sont très célèbres. Le numéro 5 est un des parfums de sa marque.

b. Ses sacs sont imités dans le monde entier avec ses fameuses initiales LV.

c. Ses montres et ses bijoux sont prestigieux et sa boutique est place Vendôme à Paris.

d. Son nom rime avec «j'adore», qui est un de ses parfums.

e. Ce n'est pas un saint, comme son nom peut le faire croire! C'était un grand couturier.

f. Ses foulards sont très élégants, tout comme ses bagages, ses sacs et ses ceintures.

2 Répondez

a. Quel groupe domine le marché du luxe en France?

b. Est-ce que ce groupe est formé exclusivement de couturiers?

c. Quelle est la différence entre «la haute couture» et «le prêt-à-porter»?

d. Comment est-ce qu'on appelle l'art de bien manger?

e. Que signifient les étoiles du guide Michelin?

f. Est-ce que vous pouvez citer le nom d'un grand chef français?

3 Devinez

a. Rébus: regardez le dessin et devinez le nom de ce plat du sud de la France:

_____

b. Donnez le nom d'un plat français:

_____

c. Donnez le nom d'un fromage français:

_____

d. Quels différents types de vins connaissez-vous?

_____

Bilan nº 6

1 **Entourez la bonne réponse (plusieurs réponses)**

a. Quel(s) prix Nobel a reçu(s) Marie Curie ?
☐ Chimie.   ☐ Médecine.   ☐ Physique.

b. D'après un sondage fait auprès des Français, quels sont les domaines qui bénéficient le plus de la recherche scientifique ?
☐ Le nucléaire.   ☐ La géologie.   ☐ La génétique.   ☐ La santé.   ☐ L'environnement.

c. D'après ce même sondage, quelle est l'invention scientifique qui a « le plus changé la vie » des Français ?
☐ Les rayons X.   ☐ Le scanner.   ☐ Les antibiotiques.   ☐ La pasteurisation.

d. Dans quels domaines les chercheurs français sont-ils particulièrement brillants ?
☐ Les technologies de l'information.
☐ Les mathématiques.
☐ La physiologie.
☐ L'agronomie.

e. D'où viennent les 93 % d'électricité d'origine renouvelable produite en France ?
☐ De l'eau.   ☐ Du soleil.   ☐ Du vent.   ☐ Des végétaux.

2 **Expliquez**

À partir de ce dessin et de ce qu'il évoque pour vous, résumez ce que vous savez des chercheurs français :

a. Leur image auprès du grand public.

b. Leurs domaines d'excellence.

c. Leurs difficultés.

d. Noms de chercheurs connus.

3 **Vrai ou faux ?**

	VRAI	FAUX
a. La France est le pays européen qui compte le plus grand nombre de centrales nucléaires.	☐	☐
b. La majorité des Français ne considèrent pas que l'énergie nucléaire soit un risque pour eux.	☐	☐
c. Un Européen utilise trois fois plus de ressources naturelles de la planète qu'il le devrait.	☐	☐
d. Les Français ne croient pas que les énergies renouvelables puissent remplacer le nucléaire.	☐	☐
e. Une grande majorité de Français se préoccupent de la protection de l'environnement.	☐	☐

4 **Expliquez**

À partir de ces dessins, expliquez comment les Français vont essayer d'économiser l'énergie et réduire la pollution :

→ *On va utiliser/développer/favoriser/encourager…*

5 **Cochez (plusieurs possibilités)**

a. La majorité des Français pensent que les nouvelles technologies sont un progrès :
- ☐ dans les soins médicaux.
- ☐ dans le travail.
- ☐ dans les relations humaines.

b. Leurs prévisions pour le futur sont :
- ☐ l'augmentation du télétravail.
- ☐ l'enseignement à distance.
- ☐ la procréation des femmes de plus de 50 ans.

c. En France le commerce en ligne :
- ☐ marche mal.
- ☐ progresse lentement.
- ☐ progresse rapidement.

d. CNRS veut dire :
- ☐ Comité national de recherche sanitaire.
- ☐ Centre national de recherche scientifique.
- ☐ Centre national de recherche sociale.

e. La CNIL protège les citoyens contre les abus de l'informatique. Que veut dire ce sigle ?
- ☐ Commission nationale de l'informatique et des libertés.
- ☐ Comité national informatique et loi.
- ☐ Chambre nationale des informaticiens libres.

Bilan n° 7

1 Reliez

Quels philosophes évoquent les mots ci-dessous :

a. Liberté et responsabilité

b. Connaissance de soi et esprit critique

c. Observation rationaliste et croyance dans la science

d. Analyse des relations de pouvoir

e. Raisonnement mathématique et doute

1. Comte

2. Sartre

3. Foucault

4. Descartes

5. Montaigne

2 Complétez avec les mots ci-dessous

*irrationnel – nature – équilibre – convention*s

a. Chez les romantiques, la _____ est le reflet de l'âme.

b. Les écrivains du Nouveau Roman ont en commun le refus des _____ du genre romanesque.

c. Le surréalisme défend l' _____ , le rêve, la révolte, l'inconscient.

d. L'idéal classique est la mesure et l' _____ .

3 Complétez

Les écrivains suivants étaient-ils classiques ? romantiques ? surréalistes ? ou de « nouveaux romanciers » ?

a. André Breton : _____

b. Nathalie Sarraute : _____

c. Jean de La Fontaine : _____

d. Victor Hugo : _____

e. Alain Robbe-Grillet : _____

f. Jean Racine : _____

g. Molière : _____

h. Robert Desnos : _____

i. Alfred de Musset : _____

4 Vrai ou faux ?

	VRAI	FAUX
a. En France, l'enseignement de la philosophie se fait les deux dernières années du lycée.	☐	☐
b. La bande dessinée a beaucoup de succès en France.	☐	☐
c. Le prix Goncourt récompense la meilleure bande dessinée de l'année.	☐	☐
d. Le Nouveau Roman est un mouvement littéraire des années 1950.	☐	☐
e. Au début du XXᵉ siècle, les artistes se sont installés à Montmartre, puis à Montparnasse.	☐	☐
f. C'est un Français qui a inventé la photographie.	☐	☐
g. Les ateliers de la Ruche accueillaient les artistes de Montmartre.	☐	☐

5 Reliez

Reliez chaque artiste au mouvement auquel il appartient.

a. Arman

b. Monet

c. Renoir   1. L'impressionnisme

d. Derain   2. L'École de Nice

e. Klein   3. Le fauvisme

f. Matisse   4. L'École de Paris

6 Cherchez l'intrus

Barrez l'élément qui ne va pas dans la série.

a. Comte – Descartes – Sartre – Chagall

b. Lartigue – Pissarro – Cartier-Bresson – Doisneau

c. Modiano – Racine – Musset – Molière

d. Cézanne – Degas – Sarraute – César

1 Entourez la bonne réponse

    a. Jean Nouvel est un architecte français vivant/mort.

    b. La «Cité radieuse» de Marseille a été dessinée par Le Corbusier/Jean Nouvel.

    c. Hector Guimard aimait les lignes géométriques/courbes.

    d. Le Corbusier a conçu beaucoup de logements/de stations de métro.

    e. Le style roman est antérieur/postérieur au style gothique.

2 Identifiez ces édifices

a. ....

b. ....

c. ....

d. ....

Qu'est-ce que c'est?

3 Répondez

    a. Comment s'appelle un très jeune danseur ou une très jeune danseuse de l'Opéra de Paris?

    b. Pourquoi est-ce que les jeunes Français écoutent la musique différemment de leurs parents?

    c. Quel genre musical (opéra, opérette ou comédie musicale) a le plus de succès en France?

    d. Que se passe-t-il pendant les journées du patrimoine?

    e. Que se passe-t-il pendant la «Nuit blanche»?

    f. Quel est l'objectif de «Lire en fête»?

4 Reliez: où ont lieu ces festivals?

    a. Musique classique   **1.** Cannes

    b. Musique de jazz   **2.** Avignon

    c. Cinéma   **3.** Bourges

    d. Danse   **4.** Marciac

    e. Chanson française   **5.** Aix-en-Provence

    f. Théâtre   **6.** Montpellier

Annexes

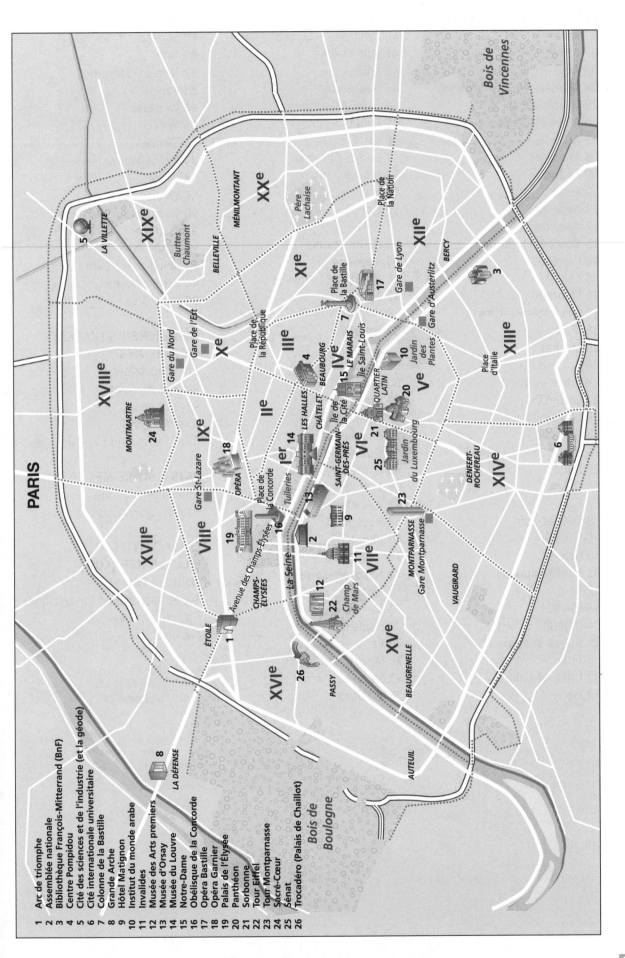

1 Arc de triomphe
2 Assemblée nationale
3 Bibliothèque François-Mitterrand (BnF)
4 Centre Pompidou
5 Cité des sciences et de l'industrie (et la géode)
6 Cité internationale universitaire
7 Colonne de la Bastille
8 Grande Arche
9 Hôtel Matignon
10 Institut du monde arabe
11 Invalides
12 Musée des Arts premiers
13 Musée d'Orsay
14 Musée du Louvre
15 Notre-Dame
16 Obélisque de la Concorde
17 Opéra Bastille
18 Opéra Garnier
19 Palais de l'Élysée
20 Panthéon
21 Sorbonne
22 Tour Eiffel
23 Tour Montparnasse
24 Sacré-Cœur
25 Sénat
26 Trocadéro (Palais de Chaillot)

DÉPARTEMENTS FRANÇAIS[1]

01 Ain
02 Aisne
03 Allier
04 Alpes-de-Haute-Provence
05 Hautes-Alpes
06 Alpes-Maritimes
07 Ardèche
08 Ardennes
09 Ariège
10 Aube
11 Aude
12 Aveyron
13 Bouches-du-Rhône
14 Calvados
15 Cantal
16 Charente
17 Charente-Maritime
18 Cher
19 Corrèze
2A Corse-du-Sud
2B Corse-du-Nord
21 Côte-d'Or
22 Côtes-d'Armor
23 Creuse
24 Dordogne
25 Doubs
26 Drôme
27 Eure
28 Eure-et-Loir
29 Finistère
30 Gard
31 Haute-Garonne
32 Gers
33 Gironde
34 Hérault
35 Ille-et-Vilaine
36 Indre
37 Indre-et-Loire
38 Isère

39 Jura
40 Landes
41 Loir-et-Cher
42 Loire
43 Haute-Loire
44 Loire-Atlantique
45 Loiret
46 Lot
47 Lot-et-Garonne
48 Lozère
49 Maine-et-Loire
50 Manche
51 Marne
52 Haute-Marne
53 Mayenne
54 Meurthe-et-Moselle
55 Meuse
56 Morbihan
57 Moselle
58 Nièvre
59 Nord
60 Oise
61 Orne
62 Pas-de-Calais
63 Puy-de-Dôme
64 Pyrénées-Atlantiques
65 Hautes-Pyrénées
66 Pyrénées-Orientales
67 Bas-Rhin
68 Haut-Rhin
69 Rhône
70 Haute-Saône
71 Saône-et-Loire
72 Sarthe
73 Savoie
74 Haute-Savoie
75 Paris
76 Seine-Maritime
77 Seine-et-Marne
78 Yvelines

79 Deux-Sèvres
80 Somme
81 Tarn
82 Tarn-et-Garonne
83 Var
84 Vaucluse
85 Vendée
86 Vienne
87 Haute-Vienne
88 Vosges
89 Yonne
90 Territoire-de-Belfort
91 Essonne
92 Hauts-de-Seine
93 Seine-Saint-Denis
94 Val-de-Marne
95 Val d'Oise

DÉPARTEMENTS FRANÇAIS D'OUTRE-MER[2]

97-1 Guadeloupe
97-2 Martinique
97-3 Guyane
97-4 Réunion
97-5 Saint-Pierre-et-Miquelon

PAYS D'OUTRE-MER (POM)[3]

Nouvelle-Calédonie
Polynésie française

COLLECTIVITÉS D'OUTRE-MER (COM)[3]

Wallis-et-Futuna
Terres australes et antarctiques françaises
Mayotte

1. Voir page 23.
2. Voir pages 23 et 43.
3. Voir carte page 43.

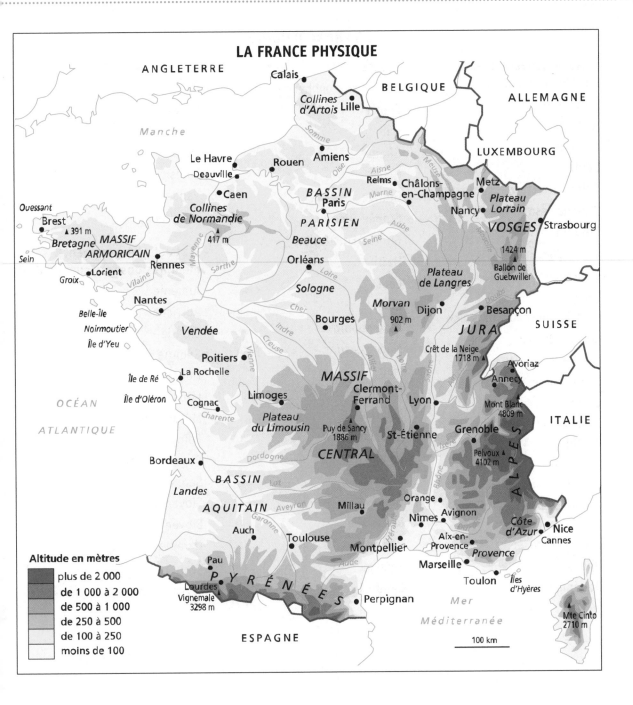

LA FRANCE PHYSIQUE

Altitude en mètres
- plus de 2 000
- de 1 000 à 2 000
- de 500 à 1 000
- de 250 à 500
- de 100 à 250
- moins de 100

ANGLETERRE
BELGIQUE
ALLEMAGNE
LUXEMBOURG
SUISSE
ITALIE
ESPAGNE

Calais
Collines d'Artois
Lille
Somme
Amiens
Le Havre
Rouen
Oise
Aisne
Meuse
Reims
Châlons-en-Champagne
Metz
Plateau Lorrain
Nancy
Strasbourg
Deauville
Caen
BASSIN
Paris
Marne
VOSGES
1424 m
Ballon de Guebwiller
Collines de Normandie
417 m
PARISIEN
Aube
Seine
Ouessant
Brest
391 m
Bretagne
MASSIF
ARMORICAIN
Beauce
Plateau de Langres
Sein
Rennes
Mayenne
Sarthe
Orléans
Loire
Lorient
Groix
Vilaine
Sologne
Cher
Morvan
902 m
Dijon
Besançon
JURA
Nantes
Belle-Île
Noirmoutier
Île d'Yeu
Vendée
Indre
Creuse
Bourges
Allier
Crêt de la Neige
1718 m
Avoriaz
Annecy
Poitiers
Vienne
MASSIF
Clermont-Ferrand
Lyon
Mont Blanc
4809 m
La Rochelle
Île de Ré
Île d'Oléron
Cognac
Charente
Limoges
Plateau du Limousin
Puy de Sancy
1886 m
St-Étienne
CENTRAL
Grenoble
Pelvoux
4102 m
ALPES
OCÉAN
ATLANTIQUE
Bordeaux
Dordogne
Lot
BASSIN
Landes
AQUITAIN
Aveyron
Garonne
Millau
Hérault
Orange
Nîmes
Avignon
Aix-en-Provence
Provence
Côte d'Azur
Nice
Cannes
Auch
Toulouse
Montpellier
Marseille
Toulon
Îles d'Hyères
Pau
Lourdes
Vignemale
3298 m
PYRÉNÉES
Aude
Perpignan
Mer
Méditerranée
Mte Cinto
2710 m
Manche
Doubs
Isère
Rhône
Saône
Moselle

100 km

LA FRANCOPHONIE[1]

États et gouvernements membres de l'OIF

Albanie
Andorre
Belgique
Bénin
Bulgarie
Burkina Faso
Burundi
Cambodge
Cameroun
Canada
Canada Nouveau-Brunswick
Canada Québec
Cap-Vert
Centrafrique
Chypre[2]
Communauté française de Belgique
Comores
Congo
Congo (République démocratique du)
Côte-d'Ivoire
Djibouti
Dominique

Égypte
Firom (ex-république yougoslave)
France
Gabon
Ghana[2]
Grèce
Guinée
Guinée-Bissau
Guinée-Équatoriale
Haïti
Laos
Liban
Luxembourg
Madagascar
Mali
Maroc
Maurice
Mauritanie
Moldavie
Monaco
Niger
Roumanie
Rwanda
Sénégal
Sainte-Lucie

Sao Tomé-et-Principe
Seychelles
Suisse
Tchad
Togo
Tunisie
Vanuatu
Viêt Nam

États et gouvernements membres observateurs de l'OIF

Arménie
Autriche
Croatie
Géorgie
Hongrie
Lituanie
Mozambique
Pologne
République tchèque
Serbie
Slovaquie
Slovénie
Ukraine

1. Voir pages 43 et 44.
2. État associé.

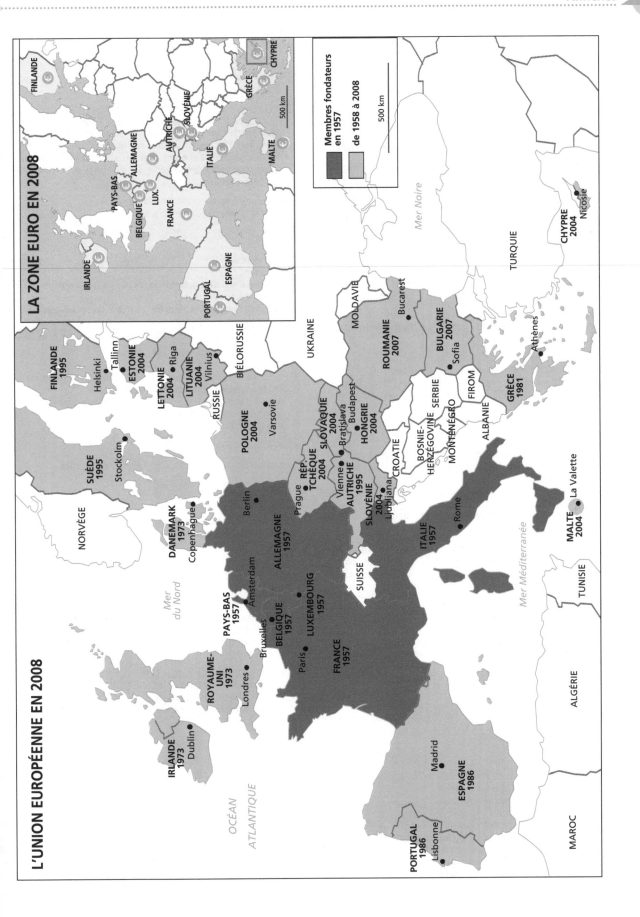

L'UNION EUROPÉENNE EN 2008

LA ZONE EURO EN 2008

Membres fondateurs en 1957

de 1958 à 2008

500 km

FINLANDE
Helsinki
SUÈDE 1995
Stockholm
NORVÈGE
ESTONIE 2004
Tallinn
LETTONIE 2004
Riga
LITUANIE 2004
Vilnius
RUSSIE
BIÉLORUSSIE
DANEMARK 1973
Copenhague
Berlin
ALLEMAGNE 1957
POLOGNE 2004
Varsovie
UKRAINE
ROYAUME-UNI 1973
Londres
Bruxelles
PAYS-BAS 1957
Amsterdam
BELGIQUE 1957
LUXEMBOURG 1957
Prague
RÉP. TCHÈQUE 2004
SLOVAQUIE 2004
Bratislava
Budapest
HONGRIE 2004
MOLDAVIE
ROUMANIE 2007
Bucarest
IRLANDE 1973
Dublin
Paris
FRANCE 1957
Vienne
AUTRICHE 1995
SLOVÉNIE 2004
Ljubljana
CROATIE
BOSNIE-HERZÉGOVINE
SERBIE
MONTÉNÉGRO
FIROM
ALBANIE
BULGARIE 2007
Sofia
GRÈCE 1981
Athènes
TURQUIE
SUISSE
ITALIE 1957
Rome
Mer Méditerranée
MALTE 2004
La Valette
CHYPRE 2004
Nicosie
Mer Noire
PORTUGAL 1986
Lisbonne
Madrid
ESPAGNE 1986
MAROC
ALGÉRIE
TUNISIE
OCÉAN ATLANTIQUE
Mer du Nord

FINLANDE
SUÈDE
IRLANDE
PORTUGAL
ESPAGNE
FRANCE
BELGIQUE
LUX.
PAYS-BAS
ALLEMAGNE
AUTRICHE
SLOVÉNIE
ITALIE
GRÈCE
MALTE
CHYPRE

500 km

Corrigés des exercices

*Pour les exercices du type « Donnez votre avis »,
les réponses données ci-dessous sont des exemples possibles, non impératifs.*

Leçon 1

a. Un écrivain et un présentateur de télévision.
b. Dans un studio de télévision.
c. La Seconde Guerre mondiale.
d. De la Résistance.

Dans tous les pays, il y a des héros qui savent dire « Non » à l'injustice.

a. même peuple, ensemble, les uns pour les autres, ce qu'on aime.
b. Le nationalisme est un amour exalté de la patrie et est parfois accompagné de haine pour les étrangers. Le chauvinisme est un fanatisme alors que le patriotisme est un sentiment noble.
c. Aux grands hommes morts, la patrie reconnaissante.

a4, b3, c2 et c3, d1.

a. faux, **b.** faux, **c.** vrai, **d.** vrai, **e.** vrai.

a. Napoléon.
b. Une personne qui a rendu un grand service à la nation.
c. Brûlée vive.
d. La Grande-Bretagne, les États-Unis, l'Union soviétique.
e. Les pieds noirs.

a. Oui, je trouve que c'est une belle définition.
b. Abraham Lincoln, John Kennedy, Martin Luther King.
c. Un héros est une personne courageuse qui défend des valeurs nobles dans toutes circonstances, même si cela met sa vie en danger.

Leçon 2

a. Il est allé faire des courses et s'est arrêté dans un café.
b. Il a vu un café où il y avait beaucoup de photos de rois, reines, princesses et fleurs de lys.
c. Le prétendant au trône de France, le descendant du duc d'Orléans.
d. Non. Julien est très surpris, choqué, énervé. Son ami reste calme.

a. 1. 1804, après. 2. 1852, 7 ans, au suffrage universel. 3. 1940, sociaux, gratuit, 40 heures. 4. 1958, ministérielle, femmes. 5. 1958 à nos jours, 5 ans.
b. Matignon, la résidence du Premier ministre.

a. Nicolas Sarkozy.
b. Par suffrage universel et pour 5 ans.
c. Deux tours parce qu'aucun candidat n'obtient la majorité au premier tour.
d. La cohabitation.

1. Pouvoirs du président : b, c, d, f.
2. Pouvoirs du Premier ministre : a, e, g, h.

a. Oui, très élevé.
b. C'est bien de tenir compte de la majorité de l'Assemblée nationale.

Leçon 3

a. Une présentatrice et deux journalistes.
b. Du vote d'une loi sur l'immigration.
c. L'Assemblée nationale a voté la loi.
d. Le Sénat doit voter la loi.
e. Un étranger en situation régulière qui veut faire venir ses enfants en France doit prouver qu'il a les ressources financières suffisantes pour faire vivre sa famille. Les membres de sa famille doivent passer un test, pour vérifier qu'ils ont quelques connaissances de la langue française et des valeurs de la République.

a. UMP ; MPF ou Régionaliste ou Divers.
b. 2 fois.
c. le Premier ministre, un sénateur ou un député.
d. les deux : la commission paritaire est formée de 7 députés et 7 sénateurs.
e. Des amendements.

Barrer : a. suffrage ~~indirect~~ direct, **b.** suffrage direct, **c.** ~~9 ans~~, **d.** 5 ans, **e.** ~~ne peut pas~~, **f.** peut, **g.** 7 membres.

Un projet de loi est examiné d'abord par l'Assemblée nationale. S'il est accepté par la majorité des députés, il est ensuite examiné par le Sénat. Après deux lectures dans chaque assemblée, le projet de loi peut être accepté ou subir des modifications qu'on appelle des amendements. Si on ne peut pas arriver à un accord, une commission paritaire élabore un nouveau texte qui est présenté aux deux assemblées.

a. Oui, c'est pratiquement le même système.
b. Je le trouve très démocratique.

Leçon 4

a. Il vient de voter.
b. 18 ans.
c. Il pense que c'est important, qu'il ne faut pas laisser les autres décider pour vous.
d. Ils pensent que c'est exagéré, qu'il faut laisser les gens libres.
e. Pas encore.
f. Cet après-midi.

a. Oui, le parti socialiste, l'UMP, les Verts.
b. l'isoloir, l'urne.
c. Elles ont toutes lieu tous les 5 ans, excepté les élections municipales et les élections professionnelles.
d. Ils n'y sont pas vraiment favorables alors qu'en Espagne, ils y sont très favorables. Mais c'est en Allemagne que les gens sont le plus opposés au vote des étrangers.

a. non, **b.** oui, **c.** oui, **d.** non, **e.** oui.

a. majorité. **b.** les femmes. **c.** la majorité. **d.** la parité.

a. Oui, pour les présidentielles.
b. Oui.
c. Oui, mais seulement pour les élections municipales parce qu'ils ne sont pas citoyens du pays.
d. Beaucoup plus d'hommes.
e. Oui, très juste car il faut qu'il y ait autant de femmes que d'hommes dans les partis politiques.

Leçon 5

a. Elle s'inquiète pour sa mère qui est âgée.
b. Elle veut obtenir une aide sociale, plus précisément une aide ménagère pour sa mère.
c. À la mairie et au conseil général.
d. À Nantes.

a. La région Midi-Pyrénées et la région Rhône-Alpes (8 départements chacune) ; l'Alsace et la Corse (2 départements chacune).
b. Pays-de-la-Loire, Rhône-Alpes.
c. Dans la région Ile-de-France.
d. Oui, 20 % ; l'État.

a. Lyon, **b.** quartier, **c.** 103, **d.** Languedoc.

a. départements, **b.** 22, **c.** général, **d.** l'État, **e.** concours, **f.** en ligne.

a1, b2, c3, d2, d3, e2, f1 et f3, g3.

a. En 30 régions.
b. Oui, il y en a beaucoup et on a une bonne image d'eux.

Leçon 6

a. Quatre personnes.
b. La juge, l'accusé, le procureur, l'avocate (de la défense).
c. Parce qu'il a conduit sa voiture en état d'ivresse, avec un taux d'alcoolémie supérieur au taux autorisé.
d. Oui.
e. Depuis 7 ans.
f. 500 euros et quatre mois de suspension du permis de conduire.
g. Non, pas encore.

A. a2, b1, c3, d5, e4.

B. Quand on n'est pas satisfait du 1er jugement, on va devant la cour d'appel. Quand on pense que le jugement est contraire à la loi ou à l'intérêt général, on va devant la cour de cassation.

C. Ils ne sont pas satisfaits car ils pensent que la justice coûte cher, que les décisions ne sont pas toujours impartiales, que les peines sont sévères, que les citoyens ne sont pas vraiment égaux devant la justice, que la justice n'agit pas avec rapidité et que le langage de la justice n'est pas clair. Ils pensent que les peines prononcées sont sévères mais pas efficaces et que les innocents peuvent avoir peur de la justice.

D. Ils pensent presque tous que la justice est lente.

E. Les Français pensent que les citoyens devraient être égaux devant la loi mais qu'en réalité ils ne le sont pas.

a. vrai, **b.** faux, **c.** vrai, **d.** faux, **e.** faux, **f.** faux, **g.** vrai.

a. Je pense qu'elle a des défauts, qu'elle est lente et qu'elle coûte cher. Il y a aussi quelquefois des erreurs. Il y a beaucoup de choses à améliorer.

b. Oui, elle a été abolie et c'est bien.

c. Je ne sais pas.

Leçon 7

a. Ils sont frère et sœur.

b. Parce qu'on lui a volé son portefeuille dans le métro.

c. Elle doit faire opposition pour sa carte bancaire et faire une déclaration de vol au commissariat de police.

d. Elle a été arrêtée par la police dans une manifestation.

e. parce qu'elle est déjà allée au commissariat et qu'elle connaît donc les policiers, mais c'est pour se moquer d'elle.

a. La majorité des Français ont une bonne image de la police et des policiers. Ils pensent que le métier de policier est dangereux. Ils se sentent solidaires face aux risques et aux dangers auxquels sont exposés les policiers.

b. Le policier : le sifflet. Le CRS : la matraque, le bouclier, les bottes. Le légionnaire : le képi blanc.

a1, b2, c1, d2, e2.

a. Sur les Champs-Élysées le 14 juillet.

b. Au commissariat de police.

c. Parce qu'elle est composée d'étrangers et de mercenaires qui se battent pour la France.

d. Avec l'OTAN et l'ONU.

e. Elle sert à donner des informations sur la Défense nationale et à rappeler les règles essentielles de la vie en société et aussi à détecter les jeunes en difficulté.

a. Non, il n'existe plus et c'est bien.

b. Non, je ne suis pas pour le rétablissement du service militaire.

c. Dans mon pays les gens ont une assez bonne image des policiers parce qu'ils pensent que leur métier est dangereux, mais ils ont très peur des policiers parce qu'ils sont parfois très violents.

d. Une fois de temps en temps, c'est amusant, surtout avec la musique.

Leçon 8

a. En classe.

b. Quelqu'un qui croit en Dieu ou dans des divinités.

c. Ils parlent du baptême et de la religion.

d. Parce que l'un des deux va être parrain de sa nièce.

e. Une personne qui pratique sa religion, qui en suit les règles.

f. La religion est une affaire privée.

a. C'est un lieu de pèlerinage.

b. Qui n'est pas croyant. C'est le deuxième pays européen à avoir le plus grand nombre d'athées.

c. En Pologne, Lituanie et Roumanie.

d. Les catholiques vont à l'église, les musulmans vont à la mosquée, les juifs vont à la synagogue.

e. Oui, la forme des clochers.

a, c, f.

a. Le catholicisme. **b.** L'islam. **c.** La laïcité. **d.** Le catholicisme et le protestantisme. **e.** Il était accusé d'avoir communiqué des documents confidentiels. **f.** Innocent.

a. C'est une affaire privée. **b.** Oui.

Leçon 9

a. Elles sont amies.

b. Elle travaillait comme traductrice dans un cabinet d'avocats. Elle a quitté son travail parce qu'il ne l'intéressait plus.

c. Elle va travailler au Parlement européen.

d. Parce que le secrétariat du Parlement européen est à Luxembourg, le siège du Parlement est à Strasbourg et certaines séances et commissions parlementaires sont à Bruxelles.

e. Elle parle espagnol, français, roumain.

f. Elle s'occupe de son petit garçon.

a. La France, la Belgique, le Luxembourg, l'Allemagne, l'Italie, les Pays-Bas. Les plus récents sont la Roumanie et la Bulgarie.

b. l'éducation, la recherche, la compétitivité, les politiques régionales.

c. Pour les Français, l'introduction de l'euro a été un événement très important. Ils veulent que l'Union européenne progresse surtout dans la politique sociale et la politique environnementale.

d. Oui.

e. L'Allemagne, la France et l'Italie.

a1, b1 et b2, c1, d3, e3, f4, g3.

Barrer : a. Le conseil de l'UE. **b.** le Parlement. **c.** La Commission. **d.** La Commission. **e.** la Commission. **f.** Le Conseil de l'UE. **g.** Le Parlement. **h.** La Banque d'investissement. **i.** La Banque centrale. **j.** La Banque centrale.

a. Oui, c'est une bonne chose.

b. De pouvoir circuler de pays en pays sans avoir à changer l'argent et d'avoir une monnaie plus forte.

c. Non, ce ne serait pas juste.

Leçon 10

a. La Francophonie.

b. Parce qu'il ne comprend pas la question et qu'il n'a pas le temps.

c. Oui, elle connaît beaucoup de choses.

d. Les Antilles, la Nouvelle-Calédonie, l'île de la Réunion, le Maroc, la Tunisie, le Sénégal, la Côte d'Ivoire, l'Algérie, le Cameroun, le Liban, le Québec.

e. Le journaliste offre une place de concert à la femme.

A. a3, b4, c5, d2, e1.

B. a. une boussole, **b.** apprivoiser, **c.** jubilatoire, **d.** visage, **e.** tact.

C. Djibouti, Haïti, Madagascar.

Barrer : a. Japon, Venezuela, Argentine. **b.** La Pologne, le Rwanda, la Hongrie.

a. la langue française et de la diversité culturelle et linguistique.

b. maternelle ou officielle ou langue d'enseignement ou langue étrangère privilégiée.

c. la culture, la technique, la recherche, l'éducation, la santé, la formation.

d. paix, démocratie, respect des droits de l'homme.

e. deux cents millions.

f. finances et de gestion.

a. Oui, assez intéressante, mais un peu artificielle.

b. Un atelier d'écriture. Dans mon pays, le Brésil, on parle portugais et peut-être d'autres langues que je ne connais pas. Le portugais est évidemment parlé au Portugal.

Leçon 11

a. Ils sont amis.

b. Ils jouent au Scrabble.

c. Ils se demandent s'il faut accepter le mot « bic ».

d. Ils cherchent dans le dictionnaire et voient que c'est un nom commun.

e. Ils vont boire du champagne.

a. Je ne connaissais pas le mot « charcuterie ».
b. Le Pays basque est près de la frontière espagnole. Reims est au nord-est de Paris, le Gard est dans le sud de la France, Marseille est dans le Sud aussi, à l'est du Gard.
c. Aux produits alimentaires.
d. Une place moins importante que la gastronomie.
e. 1. Perrier, 2. le béret basque, 3. le champagne, 4. les Gauloises, 5. Lacoste, 6. le savon de Marseille, 7. le stylo Bic, 8. la baguette.

a. la baguette, **b.** le béret basque, **c.** le champagne, **d.** le bic, **e.** le crocodile de Lacoste, **f.** le Perrier, **g.** les cigarettes.

a. Un champion de tennis. **b.** Le baron Bich. **c.** C'est là d'où vient le champagne et c'est le lieu du sacre des rois de France. **d.** Non.

a. Oui, je pensais que les monuments historiques et la culture seraient plus importants.
b. Au vin et au fromage, mais aussi à la mode et au TGV.
c. Je suis italienne alors je pense aux pâtes, aux pizzas évidemment, mais aussi aux voitures.
d. Pas tout à fait. J'ai vu des Français avec des bérets dans le Sud-Ouest et partout on voit des Français avec une baguette à la main, mais c'est plus rare avec le litre de vin rouge… et encore plus rare avec les trois ensemble, et en plus la cigarette !
e. Je voudrais goûter au foie gras.

Leçon 12

a. Pour l'inviter en Normandie chez son oncle.
b. Elle est fatiguée.
c. Il veut respirer le bon air, bien manger, faire des grandes balades, discuter avec son oncle.
d. Fleur accepte l'invitation et ils décident que Jules viendra la chercher vendredi à 6 heures.

a. Les céréales : dans le Centre et le Nord et dans le Sud-Ouest. La vigne : dans la région de Bordeaux, en Champagne, en Bourgogne dans l'Est, dans la vallée du Rhône, dans le Sud.
b. En Bretagne, en Normandie, dans le Centre et dans l'Est.
c. Non, les vignes n'occupent pas une grande partie du territoire. Oui, il y a beaucoup de forêts.
d. On voit que la France est nettement le 1er producteur de bovins en Europe.

Barrer (réponses fausses) : a. 2e et 3e, **b.** moins, **c.** grandes, **d.** augmenté, **e.** plus, autant.

a. La politique agricole commune.
b. Elle aide au développement rural en donnant des aides financières aux agriculteurs.
c. Parce que la France a une position géographique et un climat privilégiés.
d. Un organisme génétiquement modifié.
e. Non, seulement 2 %.
f. Le principe de précaution.
g. Non, elle ne représente que 2 % de l'agriculture française.
h. Les agriculteurs qui respecteront les normes en matière d'environnement, de sécurité alimentaire et de bien-être des animaux.

a. Oui, j'aime beaucoup la campagne mais je n'y vais pas souvent.
b. Oui, parce qu'ils nourrissent la population et parce qu'ils entretiennent le territoire : sans eux, les paysages seraient moins beaux.
c. De moins en moins.
d. Pas beaucoup parce que ça coûte cher, mais je voudrais manger bio.
e. Oui, on produit de très bons vins dans mon pays, le Chili.
f. Je suis contre.
g. Malheureusement non.

Leçon 13

a. Le directeur des ventes et le directeur du développement.
b. Dans la distribution.
c. Oui, très bons.
d. L'Europe, l'Amérique latine et l'Asie.
e. Accélérer l'expansion du groupe.

a. La région parisienne, le Nord, l'Est, autour de Lyon. À Paris, Lyon, Nancy, Grenoble, Nice, Toulouse, Nantes, Rennes.
b. Dans le pétrole.
c. PSA et Renault ; Carrefour et Auchan.

a1, b2, c2, d2.

a. Mondial, **b.** Carrefour, **c.** Air Liquide, **d.** Renault, **e.** EADS, **f.** Michelin.

a. Total, Carrefour.
b. Oui, j'achèterais la Mégane de chez Citroën parce qu'elle est confortable.
c. Je trouve que c'est un exploit technologique de transporter 555 passagers, mais je préférais le Concorde qui était plus beau.

Leçon 14

a. Elles sont amies.
b. Dans un salon de thé.
c. Parce qu'elle a un joli tailleur.
d. Une invitation pour un défilé de mode.
e. Elle cherche un cadeau pour sa belle-mère.

a. Dior, Chanel, Hermès.
b. Oui, j'ai vu des publicités dans des magazines.
c. Dior.
d. La mode est partout.

a. Les modèles de haute couture sont des exemplaires uniques.
b. C'est une présentation des modèles par des mannequins qui « défilent » sur un podium.
c. Des personnes très riches.
d. Non, ils vendent aussi des accessoires (sacs, ceintures, bijoux…), des parfums et des produits de beauté.
e. Chanel, Yves Saint Laurent, Hermès.
f. C'est une imitation illégale d'un produit.
g. Rue du Faubourg-Saint-Honoré ou avenue Montaigne.

b, c, e.

a. Comme tout le monde.
b. Non, j'ai d'autres priorités.
c. Le luxe est une constante surprise pour moi car je me demande toujours « qui peut se payer ça ».
d. Non, je n'ai jamais vraiment été attirée par un objet de grande marque, à l'exception de parfums que j'achète à l'aéroport parce qu'ils sont moins chers.
e. Je comprends qu'on puisse être tenté de copier, mais je n'approuve pas la contrefaçon.
f. Peut-être, si l'article me plaît vraiment.

Leçon 15

a. Elles sont amies.
b. Elle aime sa cuisine ouverte « à l'américaine ».
c. Non, elle dit qu'elle ne fait pas bien la cuisine.
d. Dans un grand restaurant.
e. Parce que c'était un très grand restaurant gastronomique qui a trois étoiles au guide Michelin.

a. Non, c'est l'élément le moins important d'après ce sondage.
b. La qualité des produits proposés.
c. Oui, le roquefort, le chèvre, le camembert.

a3, b3, c1, d2, e4.

a. Alain Ducasse, **b.** le guide Michelin, **c.** le comté, **d.** le vin jaune, **e.** la Bourgogne.

a. Le lait de vache, de brebis ou de chèvre.
b. Du vin et du pain.
c. Parce qu'il est maintenant interdit d'élever ou d'attraper des grenouilles.
d. Des étoiles.

a. La qualité des produits proposés, l'ambiance… et la personne ou les personnes avec qui je suis.
b. Non, pas vraiment.

c. Oui, le camembert, les fromages de chèvre, le comté, et surtout le roquefort et les autres fromage de brebis. J'adore tous les fromages français que j'ai goûtés.
d. Oui, j'aime beaucoup préparer un bon repas, mais je n'aime pas cuisiner tous les jours.

Leçon 16

a. Il va partir au Canada.
b. Il va travailler dans un laboratoire de recherche.
c. Il est chercheur en biologie.
d. 3 ans.
e. Parce qu'il ne trouve pas de travail en France, parce qu'il a envie d'une expérience à l'étranger et parce que le salaire est intéressant.
f. Il va peut-être jouer dans un film canadien.

A. a. oui, **b.** non, **c.** non, **d.** oui, **e.** oui.
B. Oui, je connaissais Marie Curie qui est très célèbre mais pas Georges Charpak.

Barrer (réponses fausses) : a. un, **b.** chimie, **c.** l'environnement, **d.** des recherches en géologie.

a. Centre national de la recherche scientifique.
b. Public.
c. Non, il y en a aussi à l'étranger.
d. Oui.
e. Parce qu'ils ont des difficultés à obtenir un poste ou à obtenir des salaires intéressants ou parce qu'ils cherchent de meilleures conditions de travail ou parce qu'ils veulent avoir une expérience à l'étranger.

a. Oui, je m'intéresse aux découvertes scientifiques, particulièrement dans le domaine de la médecine.
b. Bien sûr, il est connu dans mon pays.
c. Oui.
d. Je le comprends et je pense que de toute façon une expérience à l'étranger est toujours enrichissante... mais c'est bien après quelque temps de revenir dans son pays.

Leçon 17

a. Parce qu'elle veut jeter un pot de confiture.
b. Parce qu'elle fait le tri sélectif.
c. Parce qu'elle pense qu'il faut recycler au maximum, arrêter de gaspiller et de polluer.
d. Elodie est sceptique.
e. Sur le fait que le nucléaire est dangereux.

a. Que la France est de loin le pays qui produit le plus d'électricité d'origine nucléaire.
b. L'énergie hydraulique. L'énergie éolienne, solaire, la géothermie.
c. Ils sont préoccupés par la protection de l'environnement. Oui, ce sentiment est très fort.
d. Non, seulement 6 % le pensent. Le plus important est d'utiliser des énergies renouvelables.

a. faux, **b.** vrai, **c.** vrai, **d.** vrai, **e.** faux, **f.** vrai.

Avantages : le coût, la stabilité des prix, l'indépendance nationale, la limitation du réchauffement climatique. **Inconvénients :** les risques de terrorisme... et le stockage des déchets.

a. Oui, depuis longtemps.
b. Oui, je suis très préoccupé(e) par la protection de l'environnement. Je fais le tri sélectif, j'essaye de ne pas gaspiller l'eau, de faire des économies d'énergie (ampoules électriques, économies d'électricité...), de prendre les transports publics ou le vélo, d'acheter des lessives non polluantes, de ne pas trop utiliser les sacs en plastique, etc.
c. Non, heureusement. Je la trouve très dangereuse : c'est une menace invisible.

Leçon 18

a. Son téléphone portable ne marche plus très bien. Il se décharge très vite.

b. Pour acheter un nouveau portable.
c. Il lui montre les différents modèles.
d. Elle se moque un peu de lui.
e. Parce que sa grand-mère dit qu'« on n'arrête pas le progrès » et qu'il pense qu'on fera encore des progrès dans la conception des téléphones portables.

A. a. oui, **b.** non, **c.** non, **d.** oui, **e.** non, **f.** oui, **g.** non.
B. Non, je ne suis pas surprise. La recherche d'informations, la messagerie électronique, l'organisation de vacances.

a. Internet, **b.** informatiques, **c.** puces, **d.** en ligne, **b.** données.

a. 1ʳᵉ question : on vivra mieux. **2ᵉ question :** Oui : soins médicaux, travail, information. Non : vie privée, relations. **3ᵉ question :** Oui : télétravail, enseignement, médecins, OGM. Non : relations, femmes. – Non, je ne pense qu'une petite partie de l'enseignement se fera à distance, mais la plupart du temps il continuera à avoir lieu avec le professeur et les élèves dans le même lieu.
b. Oui, parce qu'on envoie des messages par Internet et on peut ainsi garder des liens avec des personnes qui habitent loin.
c. Oui, mais il faut faire attention aux dangers, spécialement ceux qui affectent la nature. Je crois que les nouvelles technologies représentent un progrès dans la médecine, les télécommunications et le travail, mais pas de progrès dans les relations humaines et le respect de la vie privée. Finalement je ne suis pas sûre que cela représente un réel progrès pour l'humanité.

Leçon 19

a. Quelqu'un téléphone pour inviter le jeune homme.
b. Il répond qu'il ne peut pas venir.
c. Il a décidé de travailler et de se concentrer sur la philosophie.
d. Il est surpris.
e. Les cours de philosophie au lycée.
f. Pas du tout. Il dit même qu'il ne s'intéressait pas à la philosophie quand il était jeune.

a. A. choix, **B.** rien d'absolu, **C.** qui se connaît, connaît aussi les autres, **D.** sans l'homme, **E.** qui tous ressemblent aux prisons, **F.** douter.
b. A. Sartre, **B.** Comte, **C.** Montaigne, **D.** Claude Lévi-Strauss, **E.** Foucault, **F.** Descartes.
c. je connaissais seulement Descartes.

a. connaissance, **b.** doute, **c.** déterminisme, **d.** responsabilité, **e.** pouvoir, **f.** anthropologue.

a. vrai, **b.** vrai, **c.** faux, **d.** faux, **e.** vrai. **f.** faux.

a. Non, c'est une matière qu'on choisit.
b. Oui, c'est bien de connaître la pensée des philosophes parce que cela oblige à penser soi-même.
c. Non, pas obligatoirement. Le progrès scientifique peut aussi causer le malheur des hommes : par exemple la bombe atomique.
d. Je crois plus à la liberté qu'au déterminisme.
e. Non, je ne crois pas.

Leçon 20

a. Ils cherchent un livre pour la copine de David.
b. Elle suggère un livre de Daniel Pennac.
c. Parce que ce livre a obtenu un prix littéraire et parce qu'elle a déjà lu des livres de cet auteur qui lui ont plu.
d. Non, il n'est pas très enthousiaste. Il a peur que le livre soit moralisateur.
e. et f. Il préfère choisir une bande dessinée parce qu'il aime bien les BD.

a. A. le romantisme, **B.** le Nouveau Roman, **C.** le classicisme, **D.** le surréalisme.
b. A. Victor Hugo, **B.** Alain Robbe-Grillet, **C.** Boileau, **D.** André Breton.
c. Oui, le naturalisme et le symbolisme.
d. Molière et Victor Hugo, bien sûr.
e. Camus, Flaubert, Balzac, Marguerite Duras.

a. Classicisme : harmonie, équilibre, vraisemblance. **Romantisme** : sensibilité, nature, orientalisme, mélancolie. **Surréalisme** : automatisme, irrationnel. **Nouveau Roman** : recherche.
b. Classicisme : Molière, Racine. **Romantisme** : Victor Hugo, Lamartine, Musset. **Surréalisme** : André Breton, Paul Éluard. **Nouveau Roman** : Alain Robbe-Grillet, Nathalie Sarraute.

a. Le neuvième art.
b. Le prix Goncourt.
c. La règle des trois unités (temps, lieu, action).
d. Oui, parce qu'il veut être plus près de la réalité et donc mélanger comédie et tragédie. De plus, il peut être non seulement en vers mais aussi en prose.
e. Ils refusaient toute contrainte esthétique et morale.
f. Ils refusaient la chronologie, l'intrigue avec causes et effets, la notion de personnage et l'analyse psychologique.

a. Non, pas vraiment.
b. Il en existe certainement beaucoup mais je connais seulement le prix Pulitzer.
c. Je pense que le public est toujours sensible aux prix littéraires, mais aussi aux livres dont on parle à la radio, la télévision, dans les revues...
d. Je lis de manière irrégulière, par plaisir.
e. J'aime surtout les romans et la poésie.

Leçon 21

a. Ce sont des touristes avec leur guide.
b. Elles visitent le quartier de Montmartre à Paris.
c. Le Bateau-lavoir.
d. Parce que beaucoup d'artistes célèbres y ont vécu.

a. Une ruche est une sorte de maison pour les abeilles. Parce que beaucoup d'artistes y travaillaient comme des abeilles et aussi parce que sa forme évoque les alvéoles d'un pain de miel.
b. Montmartre est au nord et Montparnasse au sud de Paris.
c. Nice est dans le sud-est de la France.
d. Monet, Renoir, Cézanne, Picasso, Matisse.

a. vrai, **b.** faux, **c.** vrai, **d.** vrai, **e.** faux, **f.** vrai, **g.** faux.

a. avant la Première Guerre mondiale, **b.** après la Première Guerre mondiale, **c.** dans les années 1960, **d.** à Montmartre, **e.** à Nice.

a. Parce que c'était la campagne et la vie était moins chère qu'à Paris.
b. À cause des cafés et de la vie nocturne.
c. Des artistes de toutes nationalités.
d. Pas vraiment.
e. Détourner les objets de la vie quotidienne pour en faire des réalités esthétiques.
f. Robert Doisneau.

a. Les deux. J'aime beaucoup Delacroix, Degas, Monet, Paul Klee, Nicolas de Staël.
b. Oui, mais je ne le fais pas souvent. Des portraits et des paysages.
c. Peut-être, mais je crois qu'il faut surtout habituer les enfants à aller très jeunes au musée.

Leçon 22

a. Ils veulent aller dans un musée, le musée du quai Branly.
b. Parce que l'homme fait une recherche sur l'architecture européenne contemporaine.
c. Ils parlent de différents bâtiments à Paris qui ont été conçus par l'architecte Jean Nouvel.
d. Jean Nouvel, Renzo Piano, Gustave Eiffel.
e. Ils sont italiens.

a. Je préfère la station de métro parce que j'aime le style Art nouveau.
b. Ses lignes courbes, les motifs floraux.
c. Parce qu'elle réunit des logements, des commerces, des équipements collectifs, des lieux de rencontre.
d. À des boîtes colorées.
e. La voûte romane est beaucoup plus arrondie.
f. Millau est dans le sud-ouest de la France, pas loin de Montpellier. Nîmes est au nord-ouest de Marseille.

a. Jean Nouvel, **b.** Le Corbusier, **c.** Gustave Eiffel, **d.** Hector Guimard.

a. Le style Art nouveau.
b. Le manque de logements après la guerre.
c. En Allemagne, au Japon, en Suisse, aux États-Unis, en Espagne, etc.
d. Le style roman.
e. Les Romains.
f. Parce que c'est le pont le plus haut du monde.

a. De G. Eiffel, c'est tout, pour la Tour évidemment.
b. Au Brésil nous avons de grands architectes, le plus connu est Oscar Niemeyer, l'architecte de Brasilia.
c. Léningrad (en Russie), Venise (en Italie) et Sanaa (au Yémen) sont les plus belles villes du monde... avec Paris !
d. J'aime vraiment les deux.
e. J'adore visiter les églises.
f. Oui, je suis sensible aux formes et aux couleurs, mais l'aspect pratique est aussi important.

Leçon 23

a. Elle lui propose d'aller à l'opéra voir un spectacle de danse.
b. Elle n'est pas très enthousiaste car elle n'aime pas la danse classique.
c. Elle aime le rock et le jazz.
d. Elle rêvait de devenir danseuse.
e. Non, parce que ses parents voulaient qu'elle devienne une scientifique.

a. Non.
b. Les concerts symphoniques.
c. Je connais tous ces noms mais j'ai entendu la musique de Couperin, Berlioz, Debussy, Bizet, Ravel, Saint-Saëns.
d. Je connais aussi la musique de Gounaud.

a. la musique, **b.** la musique de variétés, **c.** les chansons, **d.** une comédie musicale.

a. Oui, on peut l'écouter partout grâce aux MP3 et i-pod.
b. On peut acheter des CD mais aussi télécharger de la musique sur Internet.
c. Il y a presque trois siècles.
d. Un peu moins qu'autrefois.
e. Un petit rat.

a. Toutes sortes de musiques sauf le jazz.
b. Pas très souvent parce que ça coûte cher.
c. Oui, je joue de la guitare.
d. Moyennement.
e. Non, pas beaucoup.
f. Oui et j'aime bien.
g. Oui, mais moins que la danse moderne.

Leçon 24

a. Elle est journaliste.
b. De partir au festival de Cannes pour travailler.
c. Oui.
d. Non, elle sera avec un photographe et probablement une assistante.
e. À l'hôtel Mistral.

a. Pour aller visiter le palais de l'Élysée.
b. Marciac, Auch, Nice, Aix-en-Provence, Orange, la Roque d'Anthéron, La Rochelle, Bourges, Lorient, Cannes, Annecy, Avoriaz, Deauville, Cognac, Clermont-Ferrand, Avignon, Montpellier.

Au printemps : le Printemps de Bourges, le Festival de Cannes.
En été : le festival de jazz de Marciac, le festival d'Aix-en-Provence, les Francofolies.
En automne : le festival de l'Île-de-France, les journées du patrimoine, la Nuit blanche.

a. à Marciac ou à Nice, **b.** au Festival d'Avignon, **c.** à Montpellier, **d.** au festival de Cannes, **e.** au Printemps de Bourges, **f.** aux Chorégies d'Orange, **g.** à la FIAC.

a. Marciac et Nice. **b.** Les Chorégies d'Orange et le festival de jazz de Nice. **c.** La Nuit blanche. **d.** À découvrir des lieux habituellement fermés au public. **e.** À encourager la lecture.

a. Oui, en Autriche, nous avons le festival de Salzbourg. b. Le Festival de Cannes. c. Très intéressante parce que c'est bien pour les citoyens d'un pays de connaître leur patrimoine culturel et d'avoir ainsi l'occasion de mieux connaître l'histoire de leur pays. Il n'existe malheureusement pas l'équivalent dans mon pays. d. Je trouve ça formidable, cette idée de lire ensemble et de partager le plaisir de la lecture.

Bilan 1

a. le général de Gaulle, b. Jeanne d'Arc, c. Vercingétorix, d. Napoléon, e. Jean Moulin.

La Première Guerre mondiale 1914-1918, la Seconde Guerre mondiale 1939-1945, la guerre d'Indochine 1946-1954, la guerre d'Algérie 1954-1962.

a. 5 ans, b. Ve, c. 5 ans, d. 9 membres, e. le président et le Premier ministre, f. le président.

a. vrai, b. faux, c. vrai, d. vrai, e. faux, f. vrai.

a. Une décoration remise aux personnes qui ont rendu de grands services à la nation. b. Non. c. Non. d. Lui donner l'autorisation de voter pour vous. e. Les Verts. f. Les partis qui n'ont pas la majorité à l'Assemblée nationale. g. Le fait d'avoir autant de femmes que d'hommes sur la liste électorale d'un parti politique.

1, 2 et 3. les électeurs, 4. exécutif, 5. le gouvernement, 6. législatif, 7. les députés, 8. les grands électeurs, 9. les sénateurs. – Les électeurs et les grands électeurs votent ; les électeurs élisent les députés et le président de la République. Les grands électeurs élisent les sénateurs ; le président nomme le Premier ministre ; le Premier ministre forme le gouvernement. Le président et le Premier ministre exercent le pouvoir exécutif ; le Parlement exerce le pouvoir législatif.

Horizontal 1. démocratie. 2. Matignon. 3. exécutif. 4. cohabitation. 5. députés. 6. Élysée ; Vichy. 7. sénateur. 8. Panthéon. 9. Résistance.
Vertical : 1. code. 2. MoDem. 4. PS. 11. Indochine. 12. FN.

Bilan 2

a. Le conseil des ministres, b. un avocat, c. la banlieue, d. Bretagne, e. Calvados.

a. l'avocat de la défense, b. le juge, c. l'avocat de la partie civile, d. le procureur, e. l'accusé.

a. la peine de mort, b. la cour d'assises, c. le casier judiciaire, d. la légion étrangère.

a. vrai, b. faux, c. vrai, d. faux, e. vrai.

a. un CRS, b. un gardien de la paix, c. un légionnaire.

Bilan 3

Horizontal : 1. laïcité, 2. catholicisme, 3. accuse, 4. protestantisme, 5. judaïsme, 6. église, 7. islam. Vertical : Lourdes.

a. oui, b. non, c. oui, d. oui, e. non, f. oui, g. oui, h. oui.

a. La Banque centrale européenne. b. Le Parlement européen. c. La Cour des comptes. d. La Commission européenne.

a. Strasbourg, Bruxelles, Luxembourg, Francfort. b. Non, pas tous. c. Il est bleu avec 12 étoiles disposées en cercle. d. Les frontières de l'Union européenne. e. Non. f. Qui parle français.

Barrer : seulement, cependant, comme membres associés. récente, militaire, n'est absolument pas, la Libye, l'Algérie, la Chine. – La Francophonie est une organisation qui réunit les pays dont les citoyens ont le français comme langue maternelle. Les pays où le français est la langue officielle, la langue d'enseignement ou la langue étrangère privilégiée peuvent aussi faire partie de cette organisation. Cette organisation n'est pas très récente. Elle a plusieurs objectifs : promouvoir la langue française, favoriser les échanges dans les domaines culturel, éducatif, mais aussi dans le domaine de la santé, de la recherche et de la technique. Sa mission est aussi politique. Parmi les pays faisant partie de la Francophonie, on peut citer le Cameroun, la Roumanie, Madagascar, le Laos.

Bilan 4

Béret basque.

a. Lacoste, b. champagne, c. baguette, d. bic, e. Marseille, f. Perrier.

a. Union européenne, b. Organisme génétiquement modifié, c. Politique agricole commune, d. Biologique.

a. vrai, b. faux, c. vrai, d. faux, e. vrai, f. vrai, g. faux, h. vrai.

transports, voitures, A380, 1, supermarchés, première, qualité.

Bilan 5

a. (Coco) Chanel, b. Louis Vuitton, c. Cartier, d. Dior, e. Yves Saint Laurent, f. Hermès.

a. LVMH. b. Non. c. Les modèles haute couture sont des modèles uniques. d. la gastronomie. e. Elles notent la qualité d'un restaurant. f. Alain Ducasse.

a. La ratatouille. b. Le cassoulet. c. Le camembert. d. Les vins rouges, blancs, rosés, le vin jaune, les bordeaux, les bourgogne, le vin d'Alsace.

Bilan 6

a. chimie et physique, b. la santé, c. les antibiotiques, d. les mathématiques et l'agronomie, e. de l'eau.

a. Les chercheurs français sont estimés.
b. Ils excellent dans les domaines des mathématiques, de l'optique, des lasers, de la recherche agronomique et pharmaceutique.
c. Ils ont des difficultés à trouver des postes, à avoir de bonnes conditions de travail et des salaires correspondant à leurs qualifications.
d. Pierre et Marie Curie, Georges Charpak, Yves Chauvin.

a. vrai, b. faux, c. vrai, d. faux, e. vrai.

On va utiliser des ampoules à basse consommation, développer les énergies renouvelables par l'installation d'éoliennes et de panneaux solaires. On va favoriser les transports des marchandises en train et on va faire des voitures moins polluantes. On va encourager les agriculteurs à utiliser moins de pesticides et à faire de l'agriculture bio.

a. dans les soins médicaux et dans le travail, b. l'augmentation du télétravail, c. progresse rapidement, d. Centre national de la recherche scientifique. e. Comission nationale de l'informatique et des libertés.

Bilan 7

a2, b5, c1, d3, e4.

a. nature. b. conventions. c. irrationnel. d. équilibre.

a. surréaliste, b. Nouveau Roman, c. classique, d. romantique, e. Nouveau Roman, f. classique, g. classique, h. surréaliste, i. romantique.

a. faux, b. vrai, c. faux, d. vrai, e. vrai, f. vrai, g. faux.

a2, b1, c1, d3, e2, f4

a. Chagall, b. Pissarro, c. Modiano, d. Sarraute.

Bilan 8

a. vivant, b. Le Corbusier, c. Courbes, d. logements, e. antérieur.

a. le pont du Gard, b. une église gothique, c. une église romane, d. le viaduc de Millau.

a. Un petit rat. b. Parce qu'ils ont des i-pod, des lecteurs MP3, etc. qui leur permettent d'écouter de la musique n'importe où. c. La comédie musicale. d. On peut visiter des monuments historiques ou des lieux normalement fermés au public. e. On découvre des événements artistiques dans divers lieux de la ville pendant toute une nuit. f. Promouvoir la lecture.

a5, b4, c1, d6, e3, f2

Liste des pistes du CD audio

N° éditeur : 10195822 - mars 2013
Imprimé en France par Clerc